D1305838

VLB éditeur bénéficie du soutien de la Société de développement des entreprises culturelles du Québec (SODEC) pour son programme d'édition.

Nous reconnaissons l'aide financière du gouvernement du Canada par l'entremise du Programme d'aide au développement de l'industrie de l'édition (PADIÉ) pour nos activités d'édition.

Nous remercions le Conseil des Arts du Canada de l'aide accordée à notre programme de publication.

« Fier d'être Québécois »

PARTI QUÉBÉCOIS

« FIER D'ÊTRE QUÉBÉCOIS »

vlb éditeur

VLB ÉDITEUR
Une division du groupe Ville-Marie Littérature
1010, rue de La Gauchetière Est, Montréal, Québec H2L 2N5
Tél. : (514) 523-1182 Téléc. : (514) 282-7530
Courriel : vml@sogides.com

Maquette de la couverture : Patrice St-Amour
Photo de la couverture : Centre de documentation du Parti Québécois

Données de catalogage avant publication (Canada)
Vedette principale au titre :
    Fier d'être Québécois
    ISBN 2-89005-795-X
    1. Parti québécois.   2. Québec (Province) - Politique et gouvernement -
    1960-   . 3. Québec (Province) - Histoire - Autonomie et mouvements
    indépendantistes.   I. Lévesque, René, 1922-1987.   II. Parti québécois.

JL259.A57F53 2001   324.2714'0984   C2001-941574-5

DISTRIBUTEURS EXCLUSIFS :

• Pour le Québec, le Canada
et les États-Unis :
MESSAGERIES ADP*
955, rue Amherst
Montréal, Québec
H2L 3K4
Tél. : (514) 523-1182
Téléc. : (514) 939-0406
* Filiale de Sogides ltée

• Pour la France :
D.E.Q. – Librairie du Québec
30, rue Gay-Lussac, 75005 Paris
Tél. : 01 43 54 49 02
Téléc. : 01 43 54 39 15
Courriel : liquebec@cybercable.fr

• Pour la Suisse :
TRANSAT S.A.
4 Ter, route des Jeunes
C.P. 1210
1211 Genève 26
Tél. : (41.22) 342.77.40
Téléc. : (41.22) 343.46.46

Pour en savoir davantage sur nos publications,
visitez notre site : www.edvlb.com
Autres sites à visiter : www.edhomme.com • www.edtypo.com
www.edjour.com • www.edhexagone.com • www.edutilis.com

Préface

Vingt-cinq ans, déjà ! Le soir du 15 novembre 1976. Un soir de joie intense pour les membres du Parti Québécois. Un électorat heureux et étonné de ce qu'il vient de faire : commencer d'écrire un nouveau chapitre de l'histoire du Québec. Ailleurs dans le monde, un mélange de surprise et d'attente, de perplexité et de respect. Chez nous, un regain de fierté et d'espoir. Vingt-cinq ans ! Un âge magique. Celui d'un début de maturité, avec déjà quelques acquis et beaucoup de temps devant soi. Un quart de siècle marqué à l'aune des changements et des défis. Le plus grand d'entre eux, dessiné, proposé, débattu et puis malgré tout encore à venir : celui du pays.

Ces vingt-cinq années auront connu à cinq reprises un premier ministre issu du Parti Québécois. Nous leur avons donné la parole dans les pages qui suivent. À travers leurs idées et leurs mots défilent de grands pans de notre histoire. On perçoit tout autant la rigueur de leur démarche que la passion qui les anime pour ce pays à construire. Ils sont les points de repère les plus parlants de notre parcours. Ils nous remettent en mémoire les rêves qui l'ont marqué, avec, depuis vingt-cinq ans, de belles réussites : protection de deux fondements de notre existence comme peuple, la langue et la terre ; propulsion du Québec au rang des États modernes ; recherche d'équité pour les gens qui l'habitent ; défense des grands principes de la démocratie. La liste est longue des apports du Parti Québécois aux enjeux du dernier quart de siècle.

Et puis, chacun de ces cinq premiers ministres, à sa manière, avec son langage propre, son style, sa personnalité, a cherché à convaincre le peuple québécois que le temps était venu d'assumer pleinement son destin. René Lévesque, en débattant de la question référendaire de 1980, disait ceci : « Nous sommes devenus finalement ce que nous étions destinés à devenir, un peuple qui, comme les autres, mérite de compter. » Et, plus loin, « [...] sans nous prendre pour d'autres, il nous est interdit désormais de nous prendre pour moins que ce que nous sommes ». En discours d'ouverture au Xe Congrès national du Parti Québécois, en 1987, Pierre Marc Johnson affirmait : « Je veux que mes enfants soient des citoyens de la terre, certes, soient des Nord-Américains, mais qu'ils aient un pays à eux parce que ma solidarité est québécoise, parce que ma liberté est québécoise, parce que l'avenir de mes enfants est québécois. »

Quinze ans après René Lévesque, à l'occasion du débat sur la question référendaire de 1995, Jacques Parizeau s'adressait ainsi aux hommes et aux femmes du Québec : « Il s'agira, pour chacun, d'investir à long terme, de décider de l'avenir du Québec, de son avenir politique, de sa place dans le monde. » Faisant état par la suite du long parcours précédant ce débat, il ajoutait : « Toute l'histoire du Québec, avant même la bataille des plaines d'Abraham, est une quête, la quête de la reconnaissance : de ce que nous sommes et la quête de l'égalité avec les autres peuples. » Prenant le relais quelques mois plus tard, après l'échec si cruellement ressenti du référendum, Lucien

Bouchard terminait son discours d'assermentation comme premier ministre par ces mots : « Dans le foisonnement actuel des remises en question […], on entend surtout […] la reconnaissance nouvelle de l'existence, au nord du continent américain, de deux peuples profondément différents, de deux peuples qui doivent bientôt décider de leur destin. »

Finalement, en janvier 2001, lors de la campagne au leadership pour le poste de président du Parti Québécois, Bernard Landry, qui allait devenir quelques semaines plus tard le nouveau premier ministre du Québec, indiquait dans les premières pages de son discours : « La question nationale du Québec n'est pas réglée. […] Notre nation a l'obligation et le devoir de chercher la pleine reconnaissance de ce qu'elle est… » Il terminait le même discours en assurant les membres du Parti Québécois d'un combat incessant « […] pour faire triompher nos idéaux et achever le seul dessein digne de notre patrie : qu'elle se gouverne elle-même et qu'elle façonne, avec les autres nations libres, une humanité meilleure ».

Il faut donc poursuivre la route. Mais quoi de mieux, pour se donner du courage et éclairer le parcours, que d'avoir en mémoire ces années d'idéal et de combat. Quoi de mieux que de laisser la parole à ceux qui ont accompagné cette longue marche vers le pays du Québec.

Puisse ce livre évocateur de la première victoire électorale du Parti Québécois rappeler à celles et à ceux qui étaient là un des beaux moments de leur vie. Qu'il soit pour les plus jeunes source d'inspiration et d'espoir. Qu'il soit aussi pour toutes les personnes passionnées du Québec la preuve vivante de notre détermination, de notre force et de notre assurance de réussir à faire notre pays.

Vingt-cinq ans. Un soir d'automne. Une victoire qui résonne encore à nos oreilles. Une promesse à tenir pour les gens d'ici. Un projet à finir de mettre au monde. Une porte qui s'entrouvre. La main demeurera sur la poignée jusqu'à ce que ses battants soient pleinement déployés.

MARIE MALAVOY,
première vice-présidente du Parti Québécois
15 août 2001

René Lévesque

*Motion privilégiée relative à la question
devant faire l'objet d'une consultation populaire
sur une nouvelle entente avec le Canada présentée à
l'Assemblée nationale le 4 mars 1980.*

Monsieur le Président, c'est avec une certaine émotion, on le comprendra, une émotion au fond de laquelle je ressens surtout une grande fierté, que j'ai l'honneur d'ouvrir ce débat à l'Assemblée nationale, car jamais, probablement, notre Parlement n'a mérité de s'appeler national comme en ce moment et pendant les jours qui viennent. J'espère que toutes les astuces parlementaires du député de Bonaventure, qui vient de nous évoquer le spectre de ces points de règlement, ne nous empêcheront pas, dans un contexte comme celui-là, d'évoquer l'ensemble de la question parce qu'il ne s'agit pas seulement de la question qui sera posée au référendum, il s'agit très spécifiquement de la question du Québec lui-même.

En dépit de la confiance que nous ressentons, nous tous ici et nous tous partout au Québec, qui proposons le oui au référendum, je dois avouer cependant que c'est quand même une fierté un peu inquiète que nous ressentons. Nous n'avons pas l'habitude de rendez-vous comme celui du référendum, c'est la première fois de toute notre histoire que se présente une telle occasion de décider par nous-mêmes, collectivement, de ce que nous voulons être et de la direction que nous voulons prendre pour l'avenir.

Il y a des gens hélas – c'est leur droit, mais je dis hélas quand même – qui semblent bien décidés à tout faire pour que cette occasion soit ratée, des gens qui vont, par exemple, sans crainte de se contredire, tâcher de faire croire à la fois que cette étape est insignifiante et en même temps qu'elle est trop redoutable. C'est pourquoi la fierté que nous ressentons déjà ne sera vraiment sans mélange qu'au soir de ce jour où, après avoir étudié tous ensemble non pas seulement la question qui est posée, justement, mais jusqu'en ses moindres replis la question du Québec lui-même, de son évolution, de la situation que cette évolution nous a faite, de nos aspirations et de nos perspectives et qu'alors tous ensemble, nous nous serons prononcés.

Nous aurons alors posé un geste qui, de toute façon et quoi qu'il advienne, demeurera historique puisqu'en soi, le référendum va constituer le premier exercice par le peuple québécois de ce droit fondamental de tous les peuples qui est celui d'orienter eux-mêmes leur destin et qu'on appelle couramment le droit à l'autodétermination.

C'est donc en soi une étape cruciale dans le développement du Québec. Et ce qui nous inspire surtout confiance, quant à nous qui proposons la question au référendum, c'est que cette étape vient à son heure. L'idée n'est pas nouvelle ; il y a plusieurs personnalités qui avaient déjà évoqué l'hypothèse du référendum pour les choix politiques les plus importants. Jusqu'à présent, cela ne s'était pas concrétisé, les temps n'étaient pas mûrs. Mais, au fond, on savait bien qu'il fallait que ça vienne un jour, comme on sait qu'un jour, un fruit doit être cueilli si on ne veut pas qu'il pourrisse sur la branche, comme on sait qu'un jour, chacun doit assumer aussi sa maturité avec les responsabilités qui l'accompagnent.

C'est ce que nous avons d'ailleurs tâché d'exprimer à la toute première page du Livre blanc que le gouvernement publiait il y a quelques mois. Dans l'histoire des peuples, comme dans la vie des individus, surviennent des moments décisifs. Ces moments décisifs sont rares, heureusement, pourrait-on dire, car ils s'accompagnent presque toujours d'une certaine angoisse. Même quand le chemin nouveau qui s'offre au carrefour est bien plus prometteur que l'ancien, d'instinct, on est d'ordinaire porté à en exagérer les embûches et, naturellement, la peur du changement fait chercher des attraits inédits aux vieux sentiers sans horizon. Pour réussir, il faut surmonter cette crainte.

Nous voici tous, Québécois et Québécoises, arrivés à un moment décisif. Après des années de discussions, de crises constitutionnelles, d'enquêtes et de rapports, le temps est venu de choisir librement, démocratiquement, le chemin de notre avenir. Quand vient le moment d'orienter ainsi et d'engager son destin collectif, un peuple doit réfléchir mûrement. Nous, Québécois, d'où venons-nous ? Où en sommes-nous et quelles sont nos chances de grandir et de nous épanouir ? Autant de questions qu'on doit se poser pour éclairer le vote.

D'abord, d'où venons-nous ? Nous venons de bientôt 400 ans d'histoire, de ténacité et de continuité. Après nos concitoyens autochtones, nous sommes le peuple le plus profondément enraciné en Amérique du Nord. Nous le savons, cela n'a pas été facile de durer comme ça. Ils étaient une poignée, il y a 220 ans, qui avaient quand même une égale promesse de plénitude nationale que tous les autres, toutes ces autres colonies que la vieille Europe avait implantées, qui étaient des Espagnols, des Portugais, des Hollandais et, bien sûr, des Anglo-Saxons, et qui tous, en cours de route, plus ou moins malaisément, sont arrivés à cette plénitude nationale.

Mais, il y a 220 ans, la poignée que nous étions a été conquise et décapitée, coupée des centres de décision et, pendant longtemps, repliée sur ce qu'on a appelé la survivance. Et puis, peu à peu, en maintenant farouchement notre identité, en y ajoutant de génération en génération le nombre suffisant, en récupérant laborieusement un à un des droits et des instruments collectifs, nous sommes devenus finalement ce que nous étions destinés à devenir, un peuple qui, comme les autres, mérite de compter, quand ce ne serait que pour être digne de tous ceux et toutes celles qui nous ont permis de nous rendre jusque-là, un peuple qui a non seulement le droit mais, désormais, le devoir de s'affirmer et de prendre en main l'essentiel de ses affaires, parce qu'il nous est arrivé quelque chose d'extraordinaire il y a moins d'un demi-siècle, quelque chose d'extraordinaire et aussi de parfaitement naturel.

Chez nous comme ailleurs, il y a eu l'accélération de l'histoire ; tous ceux qui peuvent regarder en arrière, se retrouver disons il y a 35 ou 40 ans, ont la nette impression quasiment de retourner dans un autre monde. À ce moment-là, c'était une société plus simple, moins tourmentée, moins compliquée aussi. Même si c'était la guerre qui nous rejoignait de loin, c'était une société qui était à la fois solidement installée dans des structures traditionnelles, avec toute une armature sociale et mentale aussi, mais en même temps une société qui était très peu sûre d'elle-même, qui était encore résignée à dépendre indéfiniment des autres et, comme on disait, à être née pour un petit pain.

Et puis, brusquement – on l'a constaté brusquement, mais cela venait sûrement de loin, on ne l'avait pas vu venir –, il y a eu une sorte de printemps, un printemps tardif, mais irrésistible aussi, un peu comme nos rivières, quand la glace finit par sauter et qu'on sent le renouveau qui monte de partout.

Comme ailleurs, je crois bien que cela a commencé par les poètes – et c'est vrai partout dans le monde – par les artistes, par les écrivains. Nous autres, les Québécois qui vivions à peu près exclusivement du vieux gagné que nos ancêtres avaient apporté et qu'ils nous avaient transmis, sommes devenus comme jamais des créateurs, des exportateurs capables de rayonner ailleurs dans le monde par la chanson, par l'écriture de plus en plus, par le cinéma quelquefois, par la peinture très souvent, et tout le reste qui nous a fait modestement, mais quand même autant sinon plus que n'importe quelle autre communauté humaine de six millions de gens, une sorte de véritable renaissance culturelle, et aussi notre pensée sociale s'est mise à s'affirmer comme jamais.

Elle est devenue féconde au point de se trouver assez souvent à l'avant-garde non seulement du Canada, mais du continent tout entier. Les allocations familiales étaient là dans le paysage sans avoir été changées depuis 1945 ou à peu près. C'est dans les années soixante et c'est du Québec que, pour la première fois, on a eu l'idée et ensuite le projet précis de les adapter à l'évolution des familles et de leurs besoins dans le monde contemporain.

Les pensions de vieillesse n'avaient guère bougé non plus. C'est au Québec encore qu'a été conçu le supplément qui s'appelle le régime des rentes et dont l'instrument financier est la Caisse de dépôt et que, maintenant, tout le reste du Canada a adopté. Tout récemment, c'est au Québec qu'on a mis sur pied, finalement, un nouveau régime d'assurance-automobile plus humain, plus civilisé et au moins aussi efficace que tous les autres qui l'avaient précédé. C'est au Québec qu'avec les moyens du bord et ceux que le régime veut bien nous laisser, on fait présentement un bout de chemin nouveau dans la direction du revenu minimum garanti pour nos travailleurs.

On a vu également le même genre de transformation du côté de la capacité de compétence et d'invention dans le domaine politique et administratif. C'est au Québec d'abord sur tout le continent, je crois, que, par étapes dont la dernière est la loi n° 2 sur le financement des partis, on a mis fin peu à peu au cours d'une quinzaine d'années au mariage coulissier et malsain des intérêts et des groupes de pression privés avec le Trésor public. C'est au Québec aussi, depuis une vingtaine d'années, qu'on a développé une compétence et de plus en plus de rigueur administrative et budgétaire, avec des erreurs de parcours – il y en a partout et il y en aura toujours –, mais une compétence et une rigueur qui peuvent se comparer avantageusement avec, je crois, ce qui se fait n'importe où ailleurs.

C'est vrai aussi dans le domaine économique et c'est peut-être plus spectaculaire que tout le reste, parce que c'est là que nous avions accumulé et c'est là qu'on nous avait soigneusement injecté les plus solides complexes d'infériorité. Je me souviens encore – le député de Bonaventure doit s'en souvenir aussi puisqu'il était là – des années soixante, alors que, dans des circonstances quasi référendaires, on discutait de la reprise en main de l'électricité. Combien de gens il y avait qui s'acharnaient à nous dire qu'on ne serait pas capables, qui s'acharnaient à répéter que construire nos barrages nous-mêmes, unifier et administrer nous-mêmes un grand réseau de distribution, c'était au-delà de nos forces. Pourtant, aujourd'hui, Hydro-Québec est non seulement en quelque sorte un navire amiral pour l'économie du Québec, mais se situe à coup sûr à la pointe mondialement de toutes les entreprises du secteur.

Quant à SOQUEM dans le domaine minier, pour prendre seulement un autre exemple, sauf erreur, elle récupérera cette année, en une seule année, le total de tous les fonds que l'État lui a avancés depuis sa création. En même temps, parallèlement, partout dans nos régions, on a vu surgir et on voit surgir de plus en plus nombreuses des entreprises nouvelles ou des entreprises en pleine expansion.

En termes de compétence, d'efficience, d'initiative et d'audace, on assiste ces années-ci à une véritable métamorphose. Comme beaucoup d'autres, je suis allé voir cela un peu partout, en Abitibi-Témiscamingue, au Saguenay–Lac-Saint-Jean, dans la Beauce, bien sûr, en Estrie, dans les Bois-Francs, et c'est vrai aussi – on en a la preuve tous les jours – dans les régions métropolitaines, où c'est moins facile à percevoir parce que, évidemment, on se connaît moins, mais là également, c'est bien réel. On le voit à mesure que les projets passent sous nos yeux. Alors, aujourd'hui, ou en sommes-nous ?

C'est de là que nous venons. Avec tout cela, où en sommes-nous aujourd'hui ? Nous en sommes au point très simplement où, dans aucun des grands secteurs de la vie en société, sans nous prendre pour d'autres, il nous est interdit désormais de nous prendre pour moins que ce que nous sommes. Il est interdit de penser que nous ne serions pas aussi capables que quiconque de prendre nos affaires en main et très certainement mieux équipés pour le faire que n'importe qui d'autre quand justement il s'agit de nos affaires.

Nous sommes maintenant dans le peloton de tête des pays qu'on dit avancés. Nos ressources humaines sont de plus en plus compétentes et inventives. Grâce à une solide tradition d'épargne, nous avons accumulé tous les capitaux requis pour assurer nous-mêmes l'essentiel de notre développement. Nos ressources naturelles, qui sont encore inexplorées dans une foule de coins du territoire, nous garantissent une base physique parmi les plus riches et les plus diversifiées du monde.

À condition de l'entretenir avec soin, nous avons la fortune à perpétuité dans l'un des plus vastes de tous les domaines forestiers. Sur le plan de l'énergie, où on parle sans cesse actuellement, et trop souvent pour nous redonner des complexes, du pétrole de l'Alberta, d'ici quelques brèves années, nous produirons au Québec 25 000 mégawatts d'électricité. Au moyen de centrales thermiques conventionnelles, auxquelles d'autres ont dû se river depuis longtemps, il faudrait chaque jour 700 000 barils de pétrole pour obtenir le même rendement ; ce qui représente déjà, en attendant la suite, la moitié de la production annuelle de l'Alberta.

Or, tout cela n'est pas le fruit du hasard et, en particulier, tout ce renouveau et cette fécondité des 25, 30 dernières années, ce n'est pas non plus lié au régime politique dans lequel nous vivons. Il faut dire, en fait, que c'est plutôt le contraire qui s'est produit. Si nous faisons aujourd'hui partie des pays hautement développés et que, parmi 150 autres dans le monde, cela nous donne le 14e rang en ce qui concerne le niveau de vie, c'est grâce d'abord et avant tout à nos efforts ici au Québec, grâce à nos ressources, grâce aux capacités que nous avons su développer que nous sommes arrivés jusque-là. S'il n'y avait pas eu en même temps les entraves, les complications et les trop fréquentes iniquités du régime fédéral tel qu'il est, nous y serions parvenus plus rapidement, moins difficilement, et nous serions rendus aujourd'hui pas mal plus loin.

C'est pourquoi nous disons maintenant qu'au lieu de ce régime qui est dépassé, dont tout le monde admet que tel quel il est dépassé, à commencer par nos amis d'en face dans leur Livre beige et dans divers autres documents qui ont émané de leur réflexion, et sans renier pour autant une longue tradition de coexistence qui a créé tout un réseau d'échanges, nous nous devons d'arriver avec nos voisins et partenaires du reste du Canada à une nouvelle entente d'égal à égal, c'est-à-dire la seule voie qui puisse être l'aboutissement normal de notre évolution, la seule qui puisse répondre aux exigences du présent et la seule surtout qui puisse nous assurer dans l'avenir un progrès continu et sans cesse plus vivifiant.

D'ailleurs, ce serait aussi corriger enfin un malentendu qui dure depuis le début, c'est-à-dire depuis 113 ans. Dès le départ, en effet, les délégués de ce qu'on appelait le Haut-Canada, l'Ontario, et les autres provinces anglaises ou colonies à l'époque, voulaient d'abord et avant tout un Parlement central, supranational, le plus fort possible, assez fort, avec assez de pouvoirs centralisés pour présider au développement d'un nouveau pays, un pays qui serait essentiellement anglophone, mais de tradition britannique, au nord des États-Unis, alors que, pour leur part, les Québécois, au même moment, ce qu'ils désiraient par-dessus tout, c'était à tout le moins un gouvernement provincial aussi responsable, aussi autonome que possible, un gouvernement qui puisse devenir, jusqu'à un certain point, leur vrai gouvernement, celui dans lequel ils seraient toujours sûrs de se reconnaître.

Mais c'est bien sûr, on le sait, la première conception qui a surtout prévalu et qui, ensuite, s'est trouvée et se trouve encore à l'arrière-plan de toutes les tensions qu'on a vécues dans la dualité canadienne, comme on se plaît à l'appeler maintenant et qui, maintenant aussi, se trouve au cœur de la crise institutionnelle, constitutionnelle qui nous accompagne et qui n'a cessé de s'aggraver depuis quelque chose comme 40 ans.

Même le chef actuel du Parti libéral admettait d'ailleurs l'existence de ce malentendu à la source dans son document qu'il avait intitulé *Choisir le Québec et le Canada*, où certains de ses diagnostics se rapprochaient remarquablement de ceux que nous avons nous-mêmes établis, peu importe qu'évidemment cela ne l'ait pas amené aux mêmes conclusions. Notre conclusion, en effet, c'est qu'il faut maintenant enchaîner en pratique et non plus seulement en paroles sur cette longue et tenace continuité des revendications québécoises, des revendications autour desquelles, constamment, nostalgiquement, on tournait ; on n'osait pas aller jusqu'au bout de sa pensée mais, constamment, se trouvait la notion absolument centrale d'égalité entre deux peuples.

C'est à cela, au fond, que visait, pas si confusément que cela, M. Duplessis quand il parlait de ramener chez nous notre butin, M. Godbout lui-même – je vais en surprendre plusieurs, on lui a fait tellement une mauvaise réputation historiquement – ne proposait-il pas en 1948 et en toutes lettres la tenue d'un référendum pour en arriver – je cite – tenons-nous bien, « à une entente d'égal à égal entre le Québec et le Canada » ? Il y a 32 ans de cela.

Je passe par-dessus le « Maîtres chez nous » de M. Lesage et du gouvernement des années soixante, l'« égalité ou indépendance » de Daniel Johnson et du gouvernement de la fin des années soixante, la « souveraineté culturelle » de M. Bourassa dans les années soixante-dix. Je me contenterai d'évoquer un peu plus longuement l'affirmation très concrète de la commission Laurendeau-Dunton – ça remonte à 1963, il y a 17 ans – une affirmation dont personne depuis lors n'a égalé ni la vigueur ni la clairvoyance.

Ce qu'écrivaient dans ce rapport préliminaire André Laurendeau, Davidson Dunton et leurs collègues, c'était entre autres ceci : « Les principaux protagonistes du drame, qu'ils en soient pleinement conscients ou non, sont le Québec français et le Canada anglais. Il ne s'agit plus du conflit traditionnel entre une majorité et une minorité ; c'est plutôt un conflit entre deux majorités. Le groupe majoritaire au Canada et le groupe majoritaire au Québec. Cela revient à dire que le Québec francophone s'est longtemps comporté un peu comme s'il acceptait de n'être qu'une minorité ethnique privilégiée. Aujourd'hui, le Québec se regarderait lui-même comme une société presque autonome et s'attendrait à être reconnu comme telle. Cette attitude se rattache à un espoir traditionnel au Canada français, celui d'être l'égal comme partenaire du Canada anglais.

« Les Canadiens de langue anglaise, en général, doivent en venir à reconnaître l'existence au Canada d'une société francophone vigoureuse. Il faut donc qu'ils acceptent comme nécessaire à la survivance même du Canada une association réelle comme il n'en peut exister qu'entre partenaires égaux. Ils doivent être prêts à discuter franchement et sans préjugés les conséquences pratiques d'une telle association. »

Il y a 17 ans que cela a été écrit et, quatre ans plus tard, en 1967, voici encore l'affirmation qu'on trouvait dans le rapport final : « Le principe d'égalité prime pour nous toutes les considérations historiques ou juridiques. » Or, de toutes les recommandations de ce rapport, aujourd'hui, après 13 ans, seules, tant bien que mal, et avec une volonté si souvent vacillante, celles touchant à une certaine égalité linguistique ont été mises en vigueur.

Mais c'est aux oubliettes qu'on a renvoyé la question fondamentale de l'égalité politique, la seule entre deux communautés nationales qui puisse sous-tendre et étayer toutes les autres formes d'égalité dont on peut parler.

La démarche qui nous mène au référendum, celle que nous y proposons, est donc non seulement fidèle à l'aspiration la plus profonde et la plus constante des Québécois, mais c'est également la seule qui puisse enfin nous sortir du cercle vicieux dans lequel notre crise de régime s'est enlisée. Il n'y a guère que des autruches politiques ou des gens très naïfs ou très présomptueux qui pourraient refuser de voir que les échecs répétés de tous les gouvernements qui ont cherché une solution dans le rafistolage du régime et aussi que l'écart concret et qui va d'ailleurs en s'élargissant entre la réalité du Québec et celle du Canada anglais nous mènent forcément à la conclusion suivante, c'est que seule l'expression majoritaire, massivement majoritaire autant que possible, d'une volonté de changement dans l'égalité par l'ensemble des Québécois, nous permettra jamais d'amorcer le processus indispensable.

Il faut bien penser qu'en face de nous, au Canada anglais, il existe aussi un sentiment national très fort. Ce sentiment national s'est exprimé d'une façon particulièrement frappante par des silences tonitruants et par des sympathies du bout des lèvres et foncièrement embarrassés lors de la publication, par le Parti libéral provincial, de son Livre beige. Au-delà des diversités d'intérêts des provinces et des régionalismes plus ou moins agressifs, selon les circonstances, il existe chez les Canadiens anglais une unité d'aspirations là aussi face aux questions fondamentales qui se posent et qu'on ne peut pas ignorer. C'est cette unité d'aspirations qui a répondu au député d'Argenteuil et à ses collègues, récemment, qu'elle voulait un gouvernement central fort et que le panprovincialisme du projet libéral québécois risquerait de mener plutôt à une certaine désintégration. Le gouvernement québécois respecte cette réalité nationale canadienne-anglaise et ne prétend pas lui imposer quelque système politique que ce soit. Nous ne reprocherons pas aux Canadiens des autres provinces d'être attachés au régime fédéral essentiellement tel qu'il est, d'y voir des avantages évidents – et cela, l'histoire prouve qu'ils ont eu raison de les voir – et de chercher à conformer ce régime toujours davantage à leurs aspirations propres.

Mais comme ce système a justement fonctionné – et cela tout le monde en convient – d'abord et avant tout à l'avantage de la majorité canadienne-anglaise, en particulier de l'Ontario, et que de plus le Québec s'y trouve de plus en plus minoritaire, il n'est que normal de rechercher de nouvelles formes de coopération en proposant une solution de rechange qui tâche de respecter les besoins en même temps que la plus centrale des aspirations des deux parties. C'est dans cette perspective et avec cet espoir que nous entretenons depuis plus d'une douzaine d'années que, le 20 décembre de l'année dernière, pour l'information et la réflexion de l'Assemblée nationale et tous nos concitoyens aussi qui le voudraient, je rendais public le texte de la question que nous avions décidé de proposer au référendum. Soit dit en passant, les convictions que nous avions déjà quant à la clarté, à la franchise et à l'honnêteté foncières de cette question, ces convictions n'ont fait que se renforcer depuis et je n'hésite pas à dire, parce que nous avons de claires indications à ce propos, qu'une solide majorité de Québécois semble bien être du même avis.

Quant à la légalité stricte du texte à propos de laquelle d'aucuns se sont évertués à couper en quatre tous les cheveux qui leur tombaient sous la main, aux opinions verbales et très nombreuses et très concordantes que nous avions dès le départ s'ajoute maintenant l'opinion claire et sans ambages du bataillon de juristes qui ont la responsabilité permanente de conseiller les gouvernements du Québec en cette matière, les juristes du ministère de la Justice.

Cela dit, qu'est-ce qu'elle dit, cette question ? D'abord, elle pose le principe sur lequel tout le reste s'appuie, le principe de l'égalité fondamentale des deux peuples qui composent le Canada actuel. Ce principe, son application est la règle universelle du monde civilisé. Sur ce plan des droits et des intérêts fondamentaux, de l'exercice de ces droits – non pas des droits et des intérêts dans les nuages – et de la gestion de ces intérêts, c'est d'égal à égal que tous les peuples qui se respectent doivent établir leurs relations. La question proposée précise ensuite l'entente nouvelle par laquelle, et par laquelle seulement, ce principe pourra s'appliquer et vivre, encore une fois, sa réalité, vivre non plus dans l'abstrait, dans l'académique, en fait, dans les nuages vaporeux de la velléité comme, malheureusement, c'est le cas dans le Livre beige du Parti libéral provincial.

En fait, la seule façon dont on puisse espérer que ça se concrétise dans un nouvel équilibre – et voilà combien d'années les événements s'acharnent à nous le confirmer – c'est, d'une part, par la récupération au Québec du pouvoir exclusif de faire nos lois sans que d'autres viennent leur marcher sur les pieds ; de lever et d'employer chez nous tous nos impôts, tous les revenus publics que nous payons justement pour notre développement et, d'autre part, afin de maintenir un espace économique commun dont personne, ni d'un côté ni de l'autre, n'aurait avantage à se priver par le maintien, la continuité d'une association économique qui comporterait notamment l'utilisation conjointe de la même monnaie.

Le mandat que demande le gouvernement, c'est celui d'aller négocier une nouvelle entente qui réponde à cette double exigence, ni plus ni moins. Ce qu'on demande, toutefois, ce n'est pas non plus un chèque en blanc. On ne demande pas aux citoyens d'approuver d'avance, quel qu'il soit, l'aboutissement de cette démarche. Nous nous engageons à ne pas prétendre effectuer de changement définitif du statut politique avant d'avoir consulté à nouveau la population parce que nous sommes conscients du fait qu'aucun changement politique sérieux ne pourrait être envisagé, et sûrement pas réalisé, sans l'adhésion formelle et soutenue de la majorité des citoyens.

C'est d'ailleurs la raison pour laquelle – je l'ai dit à maintes reprises, et je tiens à le répéter – le gouvernement va respecter, quelle qu'elle soit, jusqu'à la fin de son mandat, la décision majoritaire qui sortira du référendum, sans prétendre d'aucune façon passer outre à la volonté collective. Il serait éminemment souhaitable qu'on ait la même garantie de la part de ceux qui se préparent à défendre l'option négative pendant la campagne qui s'amorce. Il serait bon que de telles garanties de respect démocratique de la volonté des citoyens soient données tout de suite, dès maintenant, avant que l'intensité du débat n'envahisse toute la scène.

Sur ce, il faut se demander brutalement ce que serait la portée du Oui et du Non, ce que l'un ou l'autre annoncerait comme avenir prévisible. Je pense que beaucoup de Québécois – ils sont chaque jour plus nombreux, sauf erreur – ont déjà pris conscience de ce que signifierait une réponse négative. Elle consacrerait à nouveau, et pour longtemps, le lien de dépendance du Québec par rapport à la majorité anglo-canadienne.

Elle consacrerait à nouveau, et pour longtemps, le statut d'iné-galité du peuple québécois et, pis encore, une situation de plus en plus minoritaire au sein de l'ensemble fédéral. Ce serait la continuation, sinon la perpétuation des conflits interminables, des culs-de-sac fédéraux-provinciaux, des chevauchements innombrables dans lesquels se dilue la responsabilité – et dans une stérilité sans cesse croissante se gaspillent tant d'énergie, de ressources et de temps.

Ce serait aussi la permanence de politiques fédérales qui, trop systématiquement, créent surtout de l'emploi et du déve-loppement ailleurs et prétendent compenser chez nous par l'entretien du sous-emploi et du sous-développement relatif. On me permettra, à ce propos – je pense que c'est un pensez-y bien pour quiconque – de citer un extrait d'une étude qui a été commandée en 1977 par le premier ministre d'alors, au fédé-ral, le nouveau premier ministre, sur les interventions d'Ottawa au Québec.

Les conclusions de cette étude, qui porte sur les activités de 100 ministères et agences fédérales durant la période 1967-1976, sont terriblement claires. « Le gouvernement fédé-ral », y lit-on – il s'agit d'un document, comme on le sait, qui ne devait pas être publié, mais comme il arrive de plus en plus à notre époque, qui a connu une fuite qui nous a permis à tous de savoir ce qu'il y avait dedans – « crée souvent des conflits avec Québec en intervenant sans connaître les bases constitutionnelles ou même les conséquences probables de ses actions. »

Un peu plus loin. « Les ministères fédéraux, souvent, ne consultent pas Québec même lorsque les programmes sont d'un intérêt particulier pour lui. » Encore. « Il apparaît évident qu'il y a peu d'instances où le ministère ou l'agence fédérale était conscient des effets de ces activités sur la population du Québec ou sur les priorités, les politiques ou les programmes québécois. » Enfin, ce dernier extrait. « Il est même rare qu'on ait tenté de prévoir les effets de ces activités avant qu'elles ne soient entreprises. »

Comment imaginer, dans un contexte où c'est enraciné comme façon de voir les choses, que le Non puisse être autre chose que la justification à l'avance du blocage constitutionnel, qu'il puisse annoncer autre chose que l'arrêt du mouvement historique dans lequel, veux, veux pas, nous sommes engagés parce que c'est le mouvement même de la vie ? Bref, le Non au référendum est peut-être québécois, comme le dit assez tristement le calembour dont accouchait ces jours derniers le Congrès du Parti libéral provincial, mais ce serait du Québécois replié, désuet, tassé frileusement sur la peur de s'assumer et l'incapacité de faire face à l'avenir. Pour bien des lunes, ce serait l'impossibilité de faire prendre vraiment au sérieux, par quelque interlocuteur que ce soit, même quelque chose qui a autant peur d'affirmer le Québec, qui semble même avoir autant honte de nos aspirations les plus légitimes, les plus répétées, les plus enracinées que ce Livre beige auquel nos amis d'en face viennent de se résigner officiellement.

Face à cet appel à l'immobilisme et à la stagnation, le Oui, c'est l'assurance, enfin, d'un déblocage, c'est l'ouverture à un changement qui s'inscrit dans la continuité du développement et de la maturation de tout un peuple, c'est la claire proclamation d'une volonté d'égalité et d'égalité vécue ailleurs que seulement sur le papier, c'est la condition d'une certitude définitive pour la sécurité culturelle avec des chances de plein épanouissement de cette culture, de l'identité qu'elle a forgée au cours des générations et du développement de tout ce potentiel proprement illimité pour lequel, comme toutes les sociétés, c'est sur nous-mêmes d'abord que nous devrons compter. Ce Oui, c'est en même temps un meilleur équilibre et un partage plus équitable dans le *partnership* économique avec le reste du Canada. Il permettrait d'éliminer des facteurs qui ont entravé notre développement sur bien des plans, et en particulier sur le plan économique – voilà ce que peut amorcer, et très vite, une réponse positive, car voilà ce que contient en perspective la question qui est proposée. C'est la promesse qu'elle renferme et que toutes les déformations qu'on va tenter de lui faire subir ne pourront pas effacer.

Encore une fois – il faut le répéter – c'est une promesse qui est également féconde, qui peut être décontractante et décomplexante pour les deux parties. Le Oui au référendum – je ne devrais pas avoir besoin de le dire – n'a pas pour effet ni pour but d'abolir le Canada. On ne devrait pas avoir besoin de le dire, mais je crois pourtant qu'il faut le dire puisque dans la présentation d'une motion de blâme de son parti, ici même, le 11 octobre dernier, le chef de l'opposition officielle et futur président du comité du Non faisait étalage de ses sombres certitudes quant à la fin du Canada, rien de moins.

« Depuis 10 ans, disait-il, on fait tout ce qu'on peut humainement faire pour discréditer l'ensemble canadien et préparer son écroulement dans les esprits et ensuite dans les structures. » Plus loin, il ajoutait : « Le Canada, sans régime fédéral, va cesser d'exister. » Tout en respectant le choix des Québécois qui désirent sincèrement continuer à faire partie d'un système fédéral, et même du système fédéral tel qu'il existe actuellement – quoique cela ce soit plus difficile à comprendre –, on accepte difficilement qu'ils prétendent du même souffle que la remise en question de la place du Québec dans cet ensemble mène à nier l'existence même du Canada ou à l'empêcher de continuer avec le régime qui fait son affaire.

Il ne faut pas oublier – et je crois que dans les introductions assez nombreuses qu'il y avait au Livre beige du Parti libéral provincial, c'est très clairement rappelé – sur quel fondement ce régime est établi. C'est au premier chef – on parle d'abord d'un certain éloignement de l'Angleterre, d'une certaine expansion de plus en plus inquiétante de la puissance américaine et on ajoute ceci – afin de créer un espace économique à toutes les colonies de l'Amérique du Nord que fut – l'Amérique du Nord britannique – conçu le projet de fédération canadienne adopté en 1967. Les colonies voulaient renforcer leur économie respective en accroissant le commerce intérieur et en se dotant d'une solide infrastructure en matière de transport, d'institutions financières, d'administration publique. Elles voulaient mettre en valeur les territoires de l'Ouest canadien, garder au Canada et accroître la population des diverses colonies, permettre aux colonies de se développer davantage et de manière autonome par rapport aux contrôles extérieurs. C'est ce qui a été le fondement de l'expérience canadienne.

Or, nous proposons justement le maintien de l'espace économique canadien qui a été le fondement de cette réalité et nous en maintenons le maintien à peu près tel qu'il existe. Nous voulons conserver intact l'actuel marché commun. Il nous apparaît évident qu'une telle proposition correspond à l'avantage de tous, des Québécois mais aussi des Canadiens des autres provinces, et sérieusement.

En Ontario seulement, il y a 200 000 emplois et davantage qui dépendent du marché québécois. J'ai remarqué d'ailleurs que, dans les textes de nos amis d'en face, on parle toujours des avantages que le Québec peut retirer, en oubliant que ce sont des vases communicants. On parle uniquement des avantages que le Québec peut retirer, par exemple, de ses ventes au reste du Canada. Il ne faut pas oublier que cela joue des deux côtés. Le marché québécois représente à lui seul, pour ceux qui l'ignoreraient, 25 % de toutes les exportations des autres provinces.

Donc, c'est nécessairement du donnant, donnant. Le bon sens le dit, mais il y en a parfois qui l'oublient. En proposant de conserver cet ensemble économique et tout ce qu'on peut y réaliser ensemble, d'y maintenir la libre circulation des personnes, des produits, des capitaux, d'un même dollar, sans douane ni autres embarras, est-ce qu'on ne s'en irait pas très précisément dans une direction qui est en plein dans le courant le plus universel des relations égalitaires entre les peuples, c'est-à-dire la souveraineté, pour nous la fin de la dépendance intérieure, et quel que soit le nom qu'elle porte, pacte, conseil, communauté, association, à des douzaines d'exemplaires à travers le monde civilisé d'aujourd'hui, l'interdépendance en même temps, l'interdépendance librement acceptée et d'autant plus stimulante ?

En terminant, on me permettra de souligner aussi que, pour réussir à briser le cercle vicieux dans lequel nous sommes enfermés aux points de vue institutionnel, politique, constitutionnel – peu importent les adjectifs qu'on veut employer – et si on peut parvenir à rompre sans hostilité ce front commun que toute majorité essaie toujours de maintenir autour d'un *statu quo* qui lui est profitable – et à ce point de vue, il faut bien comprendre que c'est normal pour la plupart des porte-parole du Canada anglais de s'accrocher mordicus à ce *statu quo* pour l'essentiel –, si on veut rompre ce front commun, le rompre sans hostilité, que toute majorité, celle du Canada anglais, comme les autres dans le monde, essaie toujours de maintenir quand ça lui est profitable, il faut que le référendum soit aussi pour les Québécois l'occasion de plus qu'un minimum vital de solidarité collective.

I know, this is something which in many cases is more diffi-cult to accept among English-speaking Quebecers, this measure of solidarity which is normally called for by an event such as a referendum or plebiscite on the national future. And I know, I think, very realistically that many and probably most of our English-speaking fellow citizens will find it impossible to answer this call I just made because they feel – and so much of the past and so much also of the present is there to explain that – an unbreakable belonging, more to the English Canadian majority, than to the Quebec society, majority French. Not only is it understandable but it is something we must and we shall respect but may I say that we shall also respect, at least as much, the exceptional courage and to us the clearmindedness of all those for whom the referendum, on the contrary, and without breaking any ties will represent a chance to express positively, eloquently a priority for their attachment to Quebec but also to a better and more fruitful and eventually, friendlier relationship between all of us, both here in Quebec, and between Quebec and Canada.

Cette solidarité, c'est évident que c'est rare dans l'histoire d'une société pour qu'on puisse en parler. Cela arrive à peu près deux ou trois fois par siècle, je pense, dans le meilleur des contextes, à certains moments, que tout le monde reconnaît d'instinct quand son instinct n'a pas été émoussé. Or, depuis le début de l'année surtout, on l'a vu s'amorcer peu à peu un peu partout au Québec. J'ai pu le constater dans plusieurs régions au cours des tournées que nous avons eu à faire, une solidarité qui essaie de s'affirmer au-delà des affrontements – il y aura toujours des affrontements dans n'importe quelle société, il y aura toujours des problèmes, des intérêts qui se cognent, qui s'entrechoquent – et même, ce qui est encore plus extraordinaire, une solidarité qui cherche à passer par-dessus et au-delà des compartiments partisans.

Là-dessus, je dois dire avec une certaine tristesse que j'ai entendu pendant la fin de semaine un morceau de Congrès des libéraux provinciaux. J'ai entendu le député de Bonaventure raconter avec son brio qui parfois déguise admirablement ses intentions que c'est peut-être parce que nous avions honte de notre parti si nous tâchions nous-mêmes, afin de rejoindre cette soif de solidarité qui se dessine, de nous conduire aussi exclusivement que possible comme des Québécois et rien de plus, mais rien de moins. Je dirai simplement au député de Bonaventure qu'il n'est pas question d'avoir honte d'un parti qui a réussi en 13 années de croissance aussi difficiles et plei-nes de sacrifices tout le long du chemin, qui a réussi une crois-sance sur un terrain politique encombré, comme on le sait, par les vieux partis et qui, depuis trois ans et demi, a tâché de four-nir au Québec un gouvernement aussi convenable que possi-ble, à remplir tous ses engagements et qui va continuer de le faire jusqu'à la fin du mandat actuel du gouvernement.

Mais devant cet engagement, entre autres, qui est non partisan de nature, quant à nous, parce qu'il est tellement lourd de conséquences pour toute la collectivité, cet engage-ment que constitue le référendum, quant à nous, en tout cas, nous allons persister jusqu'au bout à oublier un peu ce que Mercier tout là-bas au siècle dernier appelait déjà nos luttes fratricides. Je suis profondément convaincu que ceux qui l'auront fait, y compris au fond d'eux-mêmes certains de nos amis d'en face, seront fiers comme jamais au soir du référendum lorsqu'une solide majorité de la population aura dit Oui, Oui au Québec, Oui à sa maturité présente, Oui à toutes ses chances d'un avenir libre et responsable.

Merci, Monsieur le Président.

~

Ancien annonceur et correspondant de guerre, René Lévesque est élu député de la circonscription de Montréal-Laurier en 1960. Il fut ministre des Ressources hydrauliques et ministre des Travaux publics dans le cabinet de Jean Lesage.

Il quitta le Parti libéral en octobre 1967 pour fonder le Mouvement souveraineté-association. Fusionnant ce parti au Ralliement national, il fonde le Parti Québécois et en devient président le 14 octobre 1968. Le 15 novembre 1976, il est élu député de Taillon et premier ministre du Québec, poste qu'il occupera jusqu'au 29 septembre 1985.

René Lévesque est décédé le 1er novembre 1987 à l'âge de 65 ans.

Pierre Marc Johnson

Discours d'ouverture du Xe Congrès national
du Parti, le vendredi 12 juin 1987.

Madame la Présidente de l'exécutif,
Membres de l'exécutif national du Parti,
Collègues de l'Assemblée nationale,
Présidents, Présidentes de comtés et de régions,
Nos invités internationaux,

Les gens du corps consulaire ainsi, en particulier, que madame Roudy, ancienne ministre des Droits de la femme en France, qui est de passage parmi nous, représentant le Parti socialiste français,

Mes chers amis,

Permettez-moi à ces quelques invités de l'extérieur de vous présenter. Vous, qui êtes venus des Îles-de-la-Madeleine, du Bas-Saint-Laurent, de la Gaspésie, de la Côte-Nord, du Saguenay–Lac-Saint-Jean, de l'Abitibi, du Témiscamingue et de la Capitale nationale, de la Mauricie et des Bois-Francs, de l'Estrie, de la Montérégie, de Laurentides-Lanaudière, de Laval, de Montréal à Québec et de l'Outaouais.

Je sais que vous êtes fiers du travail qui nous attend déjà et si vous avez raison d'être fiers, c'est parce que vous savez que vous appartenez à un grand parti politique. Ce parti, il a fait de grandes choses pour le Québec. D'abord, parce qu'il porte en lui le plus beau des projets, celui de faire un pays, mais aussi, parce qu'il a démontré qu'il allait traduire cette volonté collective et cette fierté de ce que nous sommes dans la loi 101 ; parce qu'il a démontré son souci de justice et d'équité sociale dans la protection du consommateur, dans l'assurance-automobile, dans la santé et sécurité au travail, dans les normes du travail, dans l'hébergement pour les personnes âgées, pour les femmes violentées, dans les services pour les plus démunis dans cette société ; parce qu'il s'est occupé aussi du développement économique du Québec ; parce que c'est lui qui a permis de sauver l'industrie des pâtes et papier et du bois sur notre territoire ; parce qu'il a vu à la protection du territoire agricole ; parce qu'il s'est servi des sociétés d'État pour développer ici des entreprises qui, elles, ont généré des emplois ; parce qu'il a travaillé à accroître les marchés des entreprises du Québec et qu'à travers la crise économique, ce parti, quand il gouvernait, a su maintenir les emplois de milliers de travailleurs par des interventions énergiques qui faisaient confiance à l'esprit d'entreprise d'ici mais aussi, aux hommes et aux femmes qui travaillent ici. Parce que ce même parti a fait en sorte que nous amorcions enfin l'utilisation de la richesse naturelle qu'est l'électricité pour que se construisent ici des usines et pas seulement à l'extérieur. Parce que ce parti, est-il besoin de le rappeler pour ceux qui l'auraient oublié, a été le parti qui a introduit, quand il était au gouvernement, la première usine d'automobiles depuis 20 ans sur notre territoire.

Mais il reste des choses à faire pour ce parti qui a commencé à refaire ses forces depuis des épreuves difficiles. Il a et il aura, après ce Congrès, de grandes choses à offrir.

Je vis le Québec comme vous, comme un pays. Un pays qui reste inachevé, un pays qui reste à bâtir, à faire, à construire tous les jours. Et ce qui nous unit, c'est notre attachement au Québec, à son peuple, à notre volonté de le voir se développer. Ce qui nous anime, c'est notre conviction que son plein épanouissement viendra par le contrôle de la plénitude des pouvoirs, c'est-à-dire la souveraineté du Québec. Parce que je vis le Québec comme un pays à construire, à faire, je crois que le nouvel arrivant ou la nouvelle arrivante chez nous ne doit pas arriver seulement au Canada, mais doit voir qu'il ou qu'elle arrive au Québec.

Pour moi le gouvernement du Québec n'est pas le gouvernement d'une province. C'est le gouvernement du seul État français d'Amérique du Nord. Je ne ressens pas les gens d'ici comme étant des résidents ; je les vois comme des citoyens. Je ne me sens pas canadien-français, je me sais Québécois, francophone.

Je crois au pouvoir du Québec et de son peuple. Je sais que le Québec, avec des instruments, peut mieux traduire la générosité de ce que nous sommes et ce à quoi nous aspirons. Si je suis souverainiste, c'est que partout où je vais, ailleurs, pour donner comme pour recevoir, je sens que mes racines sont ici. Quand je rencontre des gens d'ailleurs, quand je m'ouvre et quand je sais que nous nous ouvrons sur le monde, je sais que mes passions ont été forgées ici au Québec. Je sais comme vous que le pays reste à faire, qu'il doit croître, pour un jour arriver à maturité. Et je veux que mes enfants soient des citoyens de la terre, certes, soient des Nord-Américains, mais qu'ils aient un pays à eux parce que ma solidarité est québécoise, parce que ma liberté est québécoise, parce que l'avenir de mes enfants est québécois.

Mais alors, comment y arriver ? J'ai fait comme vous un choix. Un choix qui m'amène à refuser la marginalité politique, un choix aussi qui m'amène à refuser de n'être qu'un observateur. Je fais le choix de l'action politique comme vous, et j'en connais les exigences comme vous : celles de soutenir à travers les périodes parfois difficiles, l'action concrète, volontaire, bénévole, sans la recherche de l'intérêt que l'on connaît des autres. Elle est exigeante, comme est exigeant le travail qui va nous amener à garder le cap mais aussi à savoir progresser, avancer. Et pour cela, il faut une démarche, il faut une démarche franche, branchée sur la réalité de ce qu'est le Québec et non seulement branchée sur ce que nous voulons qu'il devienne. Et avec honnêteté et franchise, il faut savoir, comme parti politique majeur, offrir plus. Certes nous allons réitérer notre objectif fondamental, mais il faut faire plus. Il faut offrir concrètement une démarche à nos concitoyens, qui réponde à des besoins essentiels pour le Québec dans les années qui viennent. Il faut prendre le Québec avec ses richesses et ses hésitations. Il faut le prendre avec ses passions et son sens de l'attente. Et nous ne pouvons, si nous prenons la mesure de cette réalité et du temps, nous contenter de simplement réaffirmer ce que nous sommes.

Il faut offrir aux Québécois, non seulement d'être la seule véritable alternative démocratique au gouvernement actuel, mais il faut également offrir aux Québécois une démarche qui tienne compte des besoins essentiels des années qui viennent, qui nous prépareront l'avenir.

Et cette démarche que j'ai appelée et que j'appelle encore l'affirmation nationale du Québec, elle se tourne, elle se centre notamment sur trois domaines essentiels de développement du Québec dans les années qui viennent. D'abord, donner un sens à l'économie, celui de l'emploi, avoir des politiques culturelles vigoureuses et aussi nous assurer de la qualité de la vie démocratique sur notre territoire sans attendre la réalisation de la souveraineté.

L'économie, c'est sûrement l'excellence, l'esprit d'entreprise, la conquête de nouveaux marchés, le dynamisme du secteur privé, la capacité concurrentielle de notre économie, mais cela doit être plus. Agir maintenant. Agir dès maintenant, c'est prévoir que l'État québécois, dans ce qu'il possède déjà, orientera l'essentiel de son activité créatrice vers un objectif fondamental pour le peuple québécois, qui soit l'emploi, seule façon de donner un sens à l'économie. Et cela veut dire mettre fin aux antinomies artificielles, aux contradictions théoriques entre le secteur public et le secteur privé. Cela veut dire n'est-ce pas le bon sens et la justice de voir la jonction entre le social et l'économie par une mobilisation des meilleures énergies de notre territoire vers cet objectif d'emploi pour l'ensemble des citoyens. Cela veut dire la concertation avec les centrales syndicales, avec le patronat, avec les détenteurs d'épargne, avec le milieu de formation. Et cela veut dire aussi la confiance que nous pouvons faire au développement des régions.

Cela veut dire aussi, à l'égard de l'État fédéral auquel nous appartenons toujours, que nos revendications devront tenir compte de cet objectif important à réaliser dans les années qui viennent pour le bien-être des Québécois ; les pressions que nous devrons faire sur le gouvernement central pour qu'il axe ses grandes décisions monétaires et fiscales vers l'objectif d'emploi des citoyens. Mais aussi la revendication et la conquête de pouvoirs pour le Québec pour arriver à ces objectifs.

L'affirmation nationale, c'est aussi une politique culturelle vigoureuse. Agir dès maintenant, cela signifie qu'il faut prendre les moyens et offrir une perspective de moyen à court terme pour que non seulement ici le français survive, mais qu'il s'épanouisse ; pour que non seulement ici le français se développe, mais qu'on se développe ici en français sur ce territoire. Et cela veut dire, à l'égard de l'État fédéral, que nous revendiquerons que l'Assemblée nationale du Québec soit cette autorité démocratique responsable des politiques linguistiques sur le territoire québécois.

Cette préoccupation en matière culturelle, elle doit aussi nous amener à considérer que les créateurs, des gens qui disent et font ce que nous sommes, par la culture, auront l'appui de l'État québécois, qu'ils et qu'elles aient un statut. Que ces hommes et ces femmes qui créent, qui nous renvoient ce que nous sommes et qui participent au développement de ce que signifie être un Nord-Américain différent qui s'appelle un Québécois, soient assurés du soutien, de l'appui solide, constant et indéfectible de l'État québécois.

Cela veut dire, à l'égard de l'immigration, que des efforts sans précédent devront être déployés dans les années qui viennent pour faire en sorte que les nouveaux arrivants s'intègrent à la majorité francophone du Québec.

Le défi culturel, c'est aussi d'avoir une politique culturelle qui ait du sens et qui permette aux hommes et aux femmes d'ici, qui ont choisi d'avoir des enfants, de pouvoir le faire avec moins d'obstacles qui sont dressés contre elles et contre eux dans la société dans laquelle nous vivons. Et cela veut dire, de la part de l'État, c'est clair, d'en tenir compte dans ses politiques fiscales comme dans les services aux familles.

L'affirmation nationale, c'est aussi la qualité de notre vie démocratique. Il ne faut pas que les Québécois, dans les deux, trois, quatre, cinq prochaines années, soient essentiellement préoccupés par la réforme du Sénat et qu'on se demande si la Saskatchewan ou l'Île-du-Prince-Édouard devrait avoir un ou deux sièges de plus ou de moins au Sénat. Débat marginal à l'égard du progrès du Québec ; débat accessoire en fonction de notre objectif ; débat secondaire pour le progrès du peuple québécois. Mais il faut maintenant après 300 ans d'histoire, ne serait-il pas le temps, sans attendre la souveraineté, ne serait-il pas le temps de nous donner à nous cet instrument démocratique de base que constituerait une constitution écrite appartenant non pas à des gouvernants mais au peuple québécois. Et que cette constitution, ce texte fondamental qui affirmerait ce que nous sommes, dise d'emblée que nous formons un peuple qui a le droit de s'autodéterminer, qui campe des valeurs démocratiques, la recherche de l'équité, de la justice, la protection de la liberté et qui nous permet de développer ici des institutions démocratiques plus modernes, plus vigoureuses, qui permettent notamment aux élus dont il faudrait faire en sorte qu'ils appartiennent à des institutions démocratiques plus représentatives, plus larges et proportionnellement plus représentatives des citoyens, qu'ils aient plus de pouvoirs dans le Parlement pour faire évoluer les grands débats démocratiques mais aussi, de compenser par l'équilibre essentiel d'un pouvoir exécutif fort, présidé par un chef de gouvernement élu par l'ensemble des Québécois, ce qui serait plus représentatif pour le Québec.

L'affirmation nationale, c'est cette conquête de nos espaces intérieurs et de pouvoirs pour mieux accomplir cette démarche essentielle à notre développement, pour donner un sens à l'économie par l'emploi, pour adopter des politiques culturelles vigoureuses et pour choisir ici de meilleures institutions démocratiques. On est bien loin du lac Meech.

Je vais vous en parler un petit peu du lac Meech. M. Bourassa me disait hier, à l'Assemblée nationale – parce qu'il était de passage –, qu'il ne m'en voudrait pas de le critiquer aujourd'hui – c'est un bien bon garçon, c'est bien aimable de sa part ! Mais je vais vous dire, s'il était ici avec nous, ce soir, je ne lui poserais pas de questions parce qu'il n'aurait pas de réponses, comme d'habitude – parce qu'il ne dit rien, parce qu'il n'a rien à dire en ce moment.

Vous savez, l'accord d'Ottawa doit encore donner lieu à l'approbation des parlements du Canada, y compris l'Assemblée nationale, avant d'entrer en vigueur. Cet accord, disons-le-nous, il n'est pas imposé au Québec comme le fut la Constitution de 1981-1982. Il n'y a personne qui a obligé Robert Bourassa à se rendre au lac Meech. Il a choisi d'y aller avec un plancher trop bas. Et la responsabilité essentielle de la faiblesse qui en résulte pour le Québec, elle ne vient pas du reste du Canada, elle vient de Robert Bourassa, premier ministre du Québec. Il faut en être conscient.

Il ne faut pas non plus se laisser distraire. Vous savez, en Ontario, peut-être dans l'Ouest et dans les Provinces maritimes, il y aura des gens qui vont essayer de faire une lutte à l'accord d'Ottawa en affirmant que c'est trop en donner au Québec. Faux débat. Tartufferie de la part, en particulier, du Parti libéral fédéral, maison mère de Robert, qui est en train en ce moment de laisser croire, par un débat accessoire, que le Québec a connu des gains de pouvoir énormes. Le seul gain que le Québec ait réalisé aura été celui d'un tour de table où on se sera donné des tapes dans le dos pendant quelques jours, parce que c'était pas arrivé depuis longtemps entre copains. Mais rien de nouveau comme pouvoir. Rien qui m'assure que le développement des politiques linguistiques sur notre territoire se fera par les élus du peuple québécois. Rien qui n'assure une conquête de nos espaces économiques, sociaux et culturels parce qu'ils donneraient du pouvoir à l'État québécois. Tartufferie pour M. Bourassa de venir poser entre les extrémistes que nous serions et les extrémistes que seraient les extrêmes centralisateurs, et lui serait au centre. Il n'est dans rien, sinon dans les eaux troubles d'un lac Meech qui consacre pour le Québec le *statu quo* juridique et qui, à cause du développement du débat au Canada anglais et en Ontario en particulier, va amener des reculs dans des décisions qui touchent tantôt la papeterie de Matane, tantôt Pétromont et le pipeline pour l'utilisation de la pétrochimie sur notre territoire, tantôt le centre financier international – et le bilan du lac Meech aura été le *statu quo* juridique avec une dette économique pour le Québec.

C'est parce que tout cela est venu de demandes chétives. Le *Larousse* ou le *Petit Robert* définit « chétif » comme étant « faible de sa constitution par absence de développement ». Le Québec ne saurait se satisfaire de cette monstrueuse médiocrité qui ne fait pas confiance au peuple et aux institutions démocratiques québécoises en acceptant de leur remettre le pouvoir sur les politiques linguistiques et des pouvoirs qui nous permettent de nous développer.

Et nous, dans les deux jours qui viennent, nous allons définir des progrès, des progrès qui présupposent que le rapport de force ne nous fait pas peur et surtout, que nous croyons au rapport de force. Des progrès aussi inspirés par un souci de justice, d'équité, de liberté, car nous sommes et nous serons après ce Congrès aussi, la seule véritable alternative sociale-démocrate au Québec. Et vous aurez dans les jours qui viennent à travailler en atelier et en plénière autour de ces questions qui touchent tantôt l'emploi, le développement social, l'éducation, la main-d'œuvre, la place des femmes, la place des jeunes, l'importance de l'environnement dans notre société, l'importance du développement de nos relations internationales et la prédominance de nos préoccupations culturelles qui doit absolument accompagner nos progrès économiques. Et nous aurons aussi à débattre de ce qui fait que nous sommes ici ensemble. Je suis souverainiste, je sais que vous l'êtes, mais il faut faire plus que de le redire. Je ne prétends pas que la démarche d'affirmation nationale mènerait inévitablement à la souveraineté. Et je crois que ce serait se leurrer et ne pas comprendre le fonctionnement démocratique que de s'imaginer, parce que l'on se l'écrit entre nous, que ça va se passer.

Mais je crois cependant qu'il n'y a pas de souveraineté possible sans cette démarche d'affirmation nationale.

Merci et bon travail.

～

Médecin et avocat de formation, Pierre Marc Johnson fut élu député d'Anjou en 1976. Successivement ministre des Affaires sociales, de la Justice et des Affaires intergouvernementales, il succède à René Lévesque en tant que président du Parti Québécois le 29 septembre 1985 et premier ministre du Québec le 3 octobre 1985.

Il fut chef de l'opposition officielle du 12 décembre 1985 au 10 novembre 1987, date de sa démission comme président du Parti Québécois. S'adonnant de nouveau à la pratique du droit, il œuvre depuis lors au sein de divers organismes environnementaux internationaux en tant que conseiller spécial. Il est également le président du conseil d'administration du Musée Juste pour rire depuis juin 1994.

Jacques Parizeau

Discours du premier ministre
à l'occasion du débat sur la question référendaire,
à l'Assemblée nationale, le 11 septembre 1995.

Monsieur le Président, il y a un an presque jour pour jour, le peuple québécois confiait à une majorité des membres de cette Assemblée nationale une tâche importante, celle de préparer la décision la plus naturelle, la plus noble et la plus importante que puisse prendre un peuple : devenir souverain, maître de ses choix.

Et nous voici tous conviés, dans le débat qui s'amorce, à poser l'un des gestes les plus démocratiques qu'une assemblée parlementaire puisse poser. Nous nous apprêtons, en effet, à remettre directement aux femmes et aux hommes du Québec le pouvoir de choisir leur avenir. Il s'agit, Monsieur le Président, j'en suis intimement convaincu, de l'expression la plus fondamentale de la démocratie, donc de la liberté, la liberté de décider, la liberté de voter.

Les Québécoises et les Québécois ne voteront pas, le 30 octobre, pour élire des représentants. Ils et elles ne voteront pas pour choisir un parti, un gouvernement ou un programme. Il s'agira, pour chacun, d'investir à long terme, de décider de l'avenir du Québec, de son avenir politique, de sa place dans le monde. C'est une occasion d'accéder à l'égalité avec les autres peuples, notamment avec notre voisin et partenaire naturel, le peuple canadien.

Il s'agira donc de voter par et pour nous-mêmes. C'est un vote pour nos enfants et ceux qui les suivront. C'est aussi, à bien des égards, un vote pour ceux qui nous ont précédés et qui ont tant fait pour que le Québec existe, se développe et soit respecté.

On me permettra d'évoquer certains de ceux qui, depuis plus de 200 ans, ont occupé la charge que nos concitoyens ont bien voulu me confier et, tout particulièrement, d'évoquer un des plus récents et des plus respectés, René Lévesque.

René Lévesque, avant toute chose, était un démocrate. Et, en ce sens, je pense que le leader de l'opposition sera d'accord avec moi, en ce sens, tous les membres de cette Assemblée sont aujourd'hui un peu ses héritiers. M. Lévesque a toujours cru que notre première loyauté de parlementaires, sans laquelle ce que nous faisons a peu de sens, est notre loyauté envers le peuple du Québec.

Le débat que nous amorçons aujourd'hui et qui cédera ensuite la place à la campagne référendaire sera caractérisé par notre volonté de bien informer nos concitoyens. Ce débat sera aussi, sans aucun doute, par moments, un peu rude. Mais, à la fin, quelqu'un aura le dernier mot et ce mot nous ralliera tous. Ce quelqu'un, c'est le peuple du Québec. Ce mot, ce sera « Oui » ou « Non ».

Si c'est Non, ce gouvernement, comme celui de 1980, respectera la décision populaire et ne mettra rien en œuvre pour modifier le statut du Québec comme province du Canada. Le chef de l'opposition sait qu'il peut compter là-dessus.

Si c'est Oui, cette Assemblée nationale sera appelée à mettre en œuvre la volonté des Québécois de se donner un pays et d'offrir un nouveau partenariat au Canada par l'adoption du projet de loi sur l'avenir du Québec. Je sais que je peux compter sur l'esprit démocratique du chef de l'opposition et de ses collègues à cet égard. Je le sais, parce que, en dernière analyse, lui et moi avons le même patron : le peuple du Québec.

Cette décision du peuple du Québec se prendra à l'intérieur d'un des processus démocratiques les plus rigoureux du monde, il faut le rappeler. La Loi sur la consultation populaire, qui reprend notamment les principes de financement et de limite de dépenses que nous connaissons bien en période électorale, nous assure que la décision sera celle des femmes et des hommes du Québec, non pas celle des groupes d'intérêts particuliers, de corporations.

Notre loi nous assure que le débat ne sera pas perverti par la puissance des ressources financières. Chaque option, le Oui comme le Non, bénéficiera d'un budget identique.

Nous ne sommes pas cependant à l'abri d'interventions extérieures susceptibles d'entacher le caractère démocratique du débat. Dans un document de stratégie interne dont le gouvernement fédéral a reconnu l'authenticité, Ottawa annonce sa volonté bien déterminée de violer le processus démocratique québécois en inondant le Québec de publicité plus ou moins subliminale, même dans la période de campagne référendaire proprement dite, en octobre.

Cette décision est un exemple de plus du refus du fédéral de respecter les institutions et les règles que les Québécois se sont données ensemble.

L'arrogance fédérale face au Québec croît avec l'usage. Contrairement à 1980, Ottawa ne fait même plus semblant d'y mettre les formes. Son intervention dans notre débat est massive, les budgets illimités, les scrupules inexistants. Le mutisme des représentants québécois du Non à cet égard est inquiétant. Il constitue une invitation au fédéral à bafouer encore, sur d'autres plans peut-être, les institutions québécoises.

Quoi qu'il en soit, l'Assemblée nationale a aujourd'hui devant elle un projet de loi sur l'avenir du Québec de même que le texte de la question sur laquelle les citoyens se prononceront. Ces deux textes constituent la suite logique de la marche des Québécois pour leur développement. En un certain sens, ils prennent le relais de plus de 400 ans d'histoire et, en particulier, de plus de 30 ans de tentatives déterminées mais infructueuses de trouver une juste place pour le Québec au sein du Canada. Il est aussi l'aboutissement d'un parcours vieux de cinq ans amorcé par le refus de l'accord du lac Meech et marqué par le Non au référendum sur l'accord de Charlottetown.

Toute l'histoire du Québec, avant même la bataille des plaines d'Abraham, est une quête, la quête de la reconnaissance : de ce que nous sommes et la quête de l'égalité avec les autres peuples. À l'heure de franchir l'étape qui nous mène enfin à cet objectif, vous ne m'en voudrez pas de la mettre brièvement en perspective, de l'insérer dans la chaîne des événements qui nous ont menés jusqu'ici.

Être nous-mêmes, faire nos propres choix. Cette volonté était tellement présente pendant le Régime français que nos intendants et nos régisseurs nous trouvaient déjà bien rebelles. Tout de suite, nous avons acquis une personnalité propre. L'affrontement entre Montcalm et Wolfe n'a pas mis un terme à notre entêtement de francophones. Dès 1774, par l'Acte de Québec, Londres rétablit les lois civiles et la liberté de religion des Canadiens, c'est-à-dire des Québécois d'aujourd'hui. En 1791, l'Acte constitutionnel, qui instaure le Parlement dans lequel nous siégeons aujourd'hui, marque d'une autre pierre le chemin qui mène à notre autonomie.

C'était d'abord un Parlement qui, sans être doté de tous les pouvoirs démocratiques, loin de là, donnait une voix aux volontés des Québécois, une voix que Louis-Joseph Papineau a fait entendre ici, élu et réélu au début du siècle dernier par une vaste coalition de Québécois francophones et anglophones. Il tenta de créer ici un État moderne pour cette époque, autonome, respectueux des minorités et ouvert sur le monde, y compris sur le monde britannique. En réclamant le gouvernement responsable pour la colonie québécoise, il voulait ce qu'on appelle aujourd'hui la souveraineté. En réclamant son maintien dans l'empire britannique, il proposait une forme d'association économique et politique qu'on appelle aujourd'hui

le partenariat. Mais les forces du *statu quo* allaient l'en empêcher, opposant la force à la volonté démocratique des Québécois. Que de temps perdu dans l'intervalle, que d'énergie
gaspillée à cause du refus britannique de reconnaître les Québécois comme distincts, à cause du refus de les traiter d'égal à
égal.

Pensant mater cette double volonté des Québécois, les
autorités britanniques imposèrent l'Acte d'Union de 1840 en
appliquant le rapport Durham, dont les phrases les plus dures
ne sont pas oubliées. Et je cite : « Cette nationalité canadienne-
française, écrivait alors Durham, en est-elle une que nous
devrions chercher à perpétuer pour le seul avantage de ce peuple même si nous le pouvions ? Je ne connais pas de distinc-
tion nationale qui indique et entraîne une infériorité plus irré-
médiable. La langue, les lois et le caractère du continent
nord-américain sont anglais. Toute autre race que la race
anglaise y apparaît dans un état d'infériorité. C'est pour les
tirer de cette infériorité que je veux donner aux Canadiens
notre caractère anglais. » Fin de la citation. Lord Durham,
comme on le voit, ne faisait pas dans la dentelle.

Bien que majoritaires au sein de la population, les Québécois sont mis en position minoritaire au sein de ces nouvelles
institutions. On en profite également pour endetter les Québécois en leur transférant contre leur gré la moitié de la dette
alors accumulée par l'Ontario du temps, le Haut-Canada. Les
économistes canadiens-anglais d'aujourd'hui qui veulent calcu-
ler notre part de la dette canadienne actuelle en fonction de

critères historiques feraient bien de sortir leur règle à calcul ; 145 ans d'intérêts composés, ça nous ferait tout un compte à recevoir.

Reprenons le fil de notre histoire. La résistance des Québécois à l'union forcée de 1840 fut terrible. Ni reconnus ni traités en égaux, les Québécois ont fait en sorte que chacune des recommandations de Lord Durham morde la poussière.

En 1867 arriva finalement l'Acte de l'Amérique du Nord britannique, la fédération canadienne actuelle. Un parti d'Antoine-Aimé Dorion, l'ancêtre des libéraux d'aujourd'hui, était opposé à cette fédération. Il ne croyait pas qu'elle permettrait la reconnaissance du peuple québécois ni l'égalité. Dorion voulait que le Québec garde, je le cite, « son indépendance propre » et suggérait, toujours comme citation, « de donner les plus grands pouvoirs aux gouvernements locaux comme celui du Québec et seulement une autorité déléguée au gouvernement général du Canada ». Fin de la citation. Dorion et les libéraux de l'époque proposaient une formule qui aurait fait du Québec un État, pour l'essentiel, souverain mais associé à ses voisins dans des institutions communes légères et seulement déléguées ; une idée qui allait ressurgir encore et encore au sein du Parti libéral, une idée que nous appelons le partenariat.

Au moment de l'adoption de la Constitution de 1867, beaucoup de Québécois réclamèrent la tenue d'un référendum sur leur entrée dans la fédération, mais les autorités britanniques craignaient la défaite et refusèrent de s'en remettre à la volonté populaire. L'élection de l'automne 1867, qui mettait les Québécois devant le fait accompli, s'est d'ailleurs déroulée dans des conditions troubles, nettement antidémocratiques, et les historiens s'interrogent encore aujourd'hui pour savoir s'il y eut vraiment consentement des Québécois pour l'entrée dans la fédération.

Reste que plusieurs de nos leaders de l'époque ont cru, de bonne foi, que l'entrée du Québec dans la fédération allait satisfaire nos deux objectifs historiques : la reconnaissance et l'égalité. Ils ont présenté cette union comme celle de deux peuples fondateurs. Le problème, c'est que cette vision du pays n'était pas partagée par le leader de l'autre peuple fondateur. Le premier ministre canadien, John A. Macdonald, disait, en 1865, au moment des débats sur la fédération, et je le cite : « Nous avons déféré à la Législature générale toutes les grandes questions de législation. Nous lui avons conféré non seulement, en les spécifiant et détaillant, tous les pouvoirs inhérents à la souveraineté et à la nationalité, mais nous avons expressément déclaré que tous les sujets d'un intérêt général non délégués aux législatures locales seraient du ressort du gouvernement fédéré, et les matières locales, des gouvernements locaux. Par ce moyen, nous avons donné de la force au gouvernement général. » Fin de la citation. On peut difficilement ne pas convenir que John A. Macdonald décrivait assez justement ce qu'allait devenir le Canada et, donc, la disparition de la notion des deux peuples fondateurs.

Et, si les ancêtres politiques des libéraux s'en doutaient à l'époque, on ne pouvait très franchement en être certains. Il a fallu des décennies pour que la logique de centralisation se mette en branle et devienne irrésistible.

En 1963, alors que René Lévesque, la plupart des députés ministériels actuels et moi avions encore espoir de réformer le fédéralisme, le chef de l'Union nationale, Daniel Johnson, le père, posait le verdict qui suit, et je le cite : « Parce qu'il n'a pas été observé ni dans sa lettre ni dans son esprit, disait-il, le pacte de 1867 est devenu désuet. Chacune des deux parties en cause a le droit de reprendre sa liberté et de négocier un nouveau contrat si c'est encore possible. Le temps est venu pour les représentants mandatés des deux nations de se réunir et de chercher ensemble librement, sur un pied de parfaite égalité, quelles sont les institutions politiques qui conviendraient le mieux aux réalités canadiennes de 1963. » Fin de la citation.

On croirait entendre Louis-Joseph Papineau. On croirait entendre les libéraux de 1867. On croirait lire l'entente du 12 juin 1995. Mais, en 1963, dans le contexte nouveau de la Révolution tranquille et de la modernisation en cours dans le reste du Canada, on pouvait encore penser que ces objectifs de reconnaissance et d'égalité pouvaient être satisfaits au sein de la fédération. En 1964, le premier ministre canadien, Lester B. Pearson, déclara d'ailleurs ce qui suit – et je vous invite tous à prêter l'oreille ; aucun leader politique canadien actuel n'accepterait de prononcer ces paroles aujourd'hui. M. Pearson disait donc, et, là, je le cite : « Bien que le Québec soit une province faisant partie de la Confédération nationale, il est plus qu'une province en ce sens qu'il est la patrie d'un peuple. Il constitue très nettement une nation dans une nation. »

Une nation dans une nation. Est-ce que, enfin, cette vérité allait être reconnue ? Beaucoup l'ont pensé, beaucoup ont dépensé une énergie colossale pour lui donner vie. Et je tiens à saluer ici aujourd'hui les générations de parlementaires et de leaders québécois qui ont cru à la promesse de reconnaissance et d'égalité au sein de la fédération : Honoré Mercier et Henri Bourassa, Jean Lesage, Jean-Jacques Bertrand, Jean-Luc Pepin – qui nous a quittés la semaine dernière – et tous les autres, y compris, oui, le René Lévesque du beau risque. Je tiens à saluer leur espoir et leur combat. Je tiens à saluer leur entêtement et leur farouche détermination. Grâce à eux, il ne sera pas dit que les Québécois ont renoncé facilement à faire du Canada un succès d'égalité et de reconnaissance. Il ne sera pas dit que les Québécois se sont découragés à la première difficulté, qu'ils ont baissé les bras à leur premier recul, qu'ils ont abandonné devant le premier obstacle. Non, bien au contraire, les fédéralistes québécois du dernier siècle, et en particulier des 30 dernières années, ont été les plus inventifs, les plus flexibles, les plus constructifs dans leur volonté de créer une fédération où les Québécois se sentiraient chez eux, se sentiraient reconnus, se sentiraient accueillis, pour reprendre une phrase célèbre, « dans l'honneur et l'enthousiasme ».

Il y a 15 ans, lors du référendum de 1980, le rêve des fédéralistes québécois était encore bien vivant. Dans son Livre beige, le chef libéral d'alors, Claude Ryan, avait dessiné, avec les meilleures intelligences fédéralistes du Québec, comment le Canada devrait se réformer enfin en profondeur pour répondre à la double promesse de reconnaissance et d'égalité. L'actuel leader de l'opposition, alors simple citoyen, avait fait une campagne de tous les instants pour convaincre ses compatriotes de voter Non. Il leur disait, et je le cite : « Un vote pour le Non consiste à demander aux Canadiens des autres provinces de reconnaître, à l'intérieur du Canada, deux nations. » Moi et mes collègues pensions que c'était impossible. Nous pensions, avec René Lévesque, que cette reconnaissance et cette égalité ne pouvaient être obtenues que par le truchement de la souveraineté. Mais on ne peut que s'incliner devant l'espoir sincère que représentaient alors MM. Ryan et Johnson et beaucoup de leurs collègues ici présents.

L'histoire ne dira jamais quel fut l'impact de la promesse solennelle de Pierre Trudeau. Le 14 mai 1980, six jours avant le vote, le premier ministre du Canada disait aux Québécois : « Je sais que je peux m'engager solennellement qu'après une victoire du Non nous prendrons des mesures immédiates pour renouveler la Constitution, et je déclare solennellement ceci à tous les Canadiens des autres provinces : nous, députés du Québec, mettons notre tête sur le billot parce que nous recommandons aux Québécois de voter Non et vous disons, à vous des autres provinces, que nous n'accepterons pas que vous interprétiez un vote pour le Non comme l'indication que tout va bien et que tout peut demeurer comme avant. Nous voulons des changements et nous sommes prêts à mettre nos sièges en jeu pour les obtenir. » Fin de la citation.

Chacun de nous sait ce que veut dire, pour un député, mettre son siège en jeu. Chaque Québécois comprenait bien ce que voulait dire mettre sa tête sur le billot. Le chef du camp du Non de 1980, M. Claude Ryan, était sur la scène aux côtés de M. Trudeau et de M. Chrétien lors de ce fameux discours. Dans son récent livre, M. Ryan révèle que, ce soir-là, il avait personnellement cru, comme plusieurs autour de lui, que M. Trudeau envisageait alors une opération qui serait conçue et conduite de concert avec ses alliés référendaires, dont le Parti libéral du Québec. Il allait être très déçu.

Ce n'est évidemment pas les têtes des députés fédéraux qui se sont retrouvées sur le billot, ce sont les pouvoirs du Québec. Des pouvoirs en matière de langue et d'éducation, qu'il avait toujours eus et que le rapatriement unilatéral de la Constitution canadienne lui retirait. Au surplus, on y introduit ici une formule d'amendement qui allait faire en sorte que jamais le Québec ne pourrait trouver la place qu'il convoitait. Cette nouvelle Constitution était l'œuvre de Pierre Trudeau et de son ministre responsable, Jean Chrétien.

Par la suite, des journalistes ont demandé à M. Chrétien, lui qui était de toutes ces tractations avec son collègue, Roy Romanow, pourquoi il n'avait pas défendu, en l'absence de M. Lévesque, certaines des revendications du Québec les plus fondamentales parmi celles contenues dans le Livre beige. M. Chrétien avait répété, en 1980, qu'il était le fidèle lieutenant du chef du camp du Non d'alors, exactement comme aujourd'hui il se dit le fidèle lieutenant du chef du camp du Non d'aujourd'hui. Alors, la question se pose : que M. Chrétien n'ait pas voulu discuter avec le séparatiste René Lévesque, on le conçoit, mais, lorsque les pouvoirs du Québec ont été mis en cause, pourquoi n'a-t-il pas appelé Claude Ryan ? Pourquoi n'a-t-il pas lui-même défendu les pouvoirs du Québec ? À cette question, M. Chrétien, le petit gars de Shawinigan, comme il se présente lui-même, a répondu : « Je n'étais pas là pour défendre le Québec, j'étais là pour défendre le Canada. » C'est ainsi que les fédéralistes québécois comme Claude Ryan et l'actuel chef du camp du Non ont été lâchés par leurs alliés référendaires de 1980. Profondément Québécois, ils se sont levés dans cette Chambre pour dénoncer le geste irréparable commis par les autres membres de la fédération sous la direction de MM. Trudeau et Chrétien.

J'entendais cette semaine le chef de l'opposition exprimer ses réserves sur le texte du préambule du projet de loi 1, texte qui indique que, et je le cite, je cite le texte de la loi 1, « nous avons été trompés en 1982 » lors du rapatriement. Trompés ? C'est un mot triste. Le chef de l'opposition officielle en a eu de bien plus durs. Cet été encore, dans un article publié aux États-Unis, il écrit que les gestes de MM. Trudeau et Chrétien ont, et je cite à nouveau le chef de l'opposition officielle, « provoqué chez les Québécois un sentiment d'isolement et de trahison qui est encore présent aujourd'hui ». Fin de la citation.

La réalité demeure : depuis 1982, nous sommes gouvernés par une Constitution que l'Assemblée nationale – notre Assemblée nationale – a formellement rejetée et qui nous fut imposée dans un contexte indigne de toute démocratie. Encore une fois, il n'y eut pas de référendum sur cette Constitution. Il n'y eut pas de référendum sur cette Constitution. Les droits des Québécoises et des Québécois furent ignorés. Notre douce et bien partielle revanche, nos amis d'en face s'en souviendront, arriva en 1984, lorsque des milliers de militants du Parti Québécois et des milliers de militants du Parti libéral du Québec travaillèrent côte à côte pour envoyer au chômage l'immense majorité des députés de Pierre Trudeau qui avaient approuvé le rapatriement unilatéral. C'était là une première esquisse de rassemblement entre Québécois, au-delà des partis.

Mais, en un sens, le coup de force de 1982 était tellement gros, tellement injuste, tellement arrogant que beaucoup de Québécois ont cru qu'il serait possible de réparer cette incroyable décision. Des gens comme Brian Mulroney, Lucien Bouchard, Robert Bourassa, Marcel Masse, Monique Vézina et des milliers d'autres ont cru qu'une autre tentative devait être faite. Le résultat, l'accord du lac Meech, répondait bien partiellement aux deux objectifs historiques du Québec. Nulle part il n'était question d'égalité entre les deux peuples, et la reconnaissance était timide et symbolique. On y parlait de société distincte au lieu de peuple ou de nation. Mais, s'il est un mérite qu'on peut accorder à Meech, c'est celui d'avoir démontré que jamais la Loi constitutionnelle de 1982 ne pourrait être modifiée pour répondre aux aspirations du Québec.

Robert Bourassa décrivait lui-même les cinq conditions de Meech comme – je le cite au texte – « les cinq conditions les plus minimales jamais présentées par un gouvernement du Québec ». Elles demeuraient inacceptables au Canada. Deux provinces, traduisant le sentiment profond de la population canadienne, reniaient leur signature initiale et faisaient échouer l'accord en juin 1990, après même que, sous la présidence de Jean Charest, un comité fédéral eut recommandé de diluer ce qui était perçu au Canada comme une concession trop généreuse envers les Québécois. La mort de Meech a démontré que la Constitution de 1982 n'était pas un accident de parcours, n'était pas le résultat d'une obsession de Pierre Trudeau et de son ministre. Meech a démontré, au contraire, que la vision d'un Canada intolérant envers la différence québécoise, le refus de la reconnaissance et de l'égalité étaient tellement bien ancrés dans l'opinion publique canadienne qu'ils étaient désormais les principes moteurs du nationalisme pancanadien.

Qu'on me comprenne bien, beaucoup de Canadiens de bonne volonté se sont battus pour que l'accord du lac Meech devienne réalité ; dans les provinces anglophones, des gens comme David Peterson, en Ontario, ou Grant Devine, en Saskatchewan. Mais l'électorat canadien leur a signifié leur congé, entre autres à cause de leur appui à Meech. Au sein du Parti libéral du Canada, le leader de l'opposition se souviendra que son ami Paul Martin, ou Paul Martin, plutôt, était favorable à l'entente. Les militants libéraux canadiens lui ont préféré Jean Chrétien, dont la campagne au leadership fut propulsée par le rejet de Meech, le rejet de la différence du Québec. Et, le soir de son élection, l'accolade qu'il donna devant les caméras à l'autre pourfendeur de Meech, Clyde Wells, restera pour longtemps l'image symbolique qui marque la fin du rêve fédéraliste québécois.

Je compatis aujourd'hui avec les parlementaires du camp du Non, qui sont forcés par les circonstances à se plier à la volonté de M. Jean Chrétien dans la définition de leur discours et de leur stratégie. La semaine qui a suivi le Congrès des jeunes libéraux, le mois dernier, a malheureusement bien montré qui était le lieutenant de qui dans les forces du Non. Je compatis avec les militants fédéralistes du Québec, forcés par les événements et par leur leader à donner un chèque en blanc à M. Chrétien pour ce qui se passerait si le Non l'emportait.

En 1980, il était encore raisonnable d'espérer un renouvellement. En 1995, pour les libéraux qui ne partagent pas la vision du Canada de MM. Chrétien, Roy Romanow et Clyde Wells, voter Non en espérant faire progresser l'autonomie du Québec tient de l'aveuglement. En 1980, ils ont été trompés ; en 1995, ils se piégeraient eux-mêmes. Tel serait le jugement de l'histoire. J'avoue que j'ai été également un peu surpris d'entendre le chef de l'opposition inviter M. Pierre Trudeau à participer au débat référendaire, M. Trudeau, qui, à chaque étape depuis son discours du Centre Paul-Sauvé, a contrecarré les efforts du Parti libéral du Québec, contre le Livre beige, contre l'accord du lac Meech, contre l'accord de Charlotte-town, parce qu'opposé à la société distincte. Compte tenu du respect que j'ai pour le Parti libéral du Québec et pour son chef, je souhaite vivement que les Québécoises et les Québécois n'aient pas à assister pendant la campagne référendaire à une accolade entre Pierre Trudeau et Daniel Johnson.

D'autant qu'après l'échec de Meech le premier ministre québécois, Robert Bourassa, tirait avec lucidité les leçons de cet événement. Et je le cite : « S'il y a une chose qu'on peut conclure de ces négociations, disait-il dans un moment solennel, c'est que le processus de révision constitutionnelle existant au Canada est discrédité. En outre, c'est la position de mon gouvernement de négocier dorénavant à 2 et non à 11, de négocier avec le gouvernement canadien, qui représente l'ensemble de la population du Canada. » J'avais, à l'époque, tendu la main au premier ministre, lui offrant notre collaboration. Le Québec était mis devant l'évidence : le statut historique de peuple fondateur lui était refusé. De même, le Québec était confiné, de façon définitive, au *statu quo,* c'est-à-dire qu'il continuerait d'être gouverné par une constitution qu'il ne reconnaît pas. La mort de l'accord du lac Meech a provoqué le grand rassemblement des Québécois. Unis dans leur volonté de reconnaissance et d'égalité, ils avaient jusque-là suivi des parcours différents, choisi, pour certains, la souveraineté ; pour d'autres, la voie du renouvellement de la fédération. La fin de toute possibilité de renouvellement et l'attitude alors apparemment ouverte des leaders du Parti libéral du Québec semblaient permettre une jonction fructueuse des deux grands courants qui ont traversé notre histoire.

Dans un geste unanime, cette Assemblée mettait sur pied la Commission sur l'avenir politique et constitutionnel du Québec, la commission Bélanger-Campeau, du nom de ses coprésidents. En mars 1991, elle déposait son rapport final, que les membres libéraux de la Commission ont tous signé. Il vaut la peine de rappeler certains extraits de ce rapport. Je cite : « La vision d'une identité nationale canadienne exclusive privilégie la centralisation des pouvoirs et l'existence d'un gouvernement national fort. Cette vision apparaît nivelante. Une identité nationale canadienne exclusive fondée sur l'égalité des individus devient en fait pour le Québec une interdiction d'être différent en tant que collectivité. » Fin de la citation.

Voilà un constat qu'on retrouve clairement exprimé dans le préambule du projet de loi 1. La conclusion du rapport de la commission Bélanger-Campeau était limpide, et je la cite : « Les attentes de la population sont élevées : elle veut voir le Québec récupérer des compétences dans tous les secteurs, qu'ils soient du domaine économique, social ou culturel. Il lui apparaît urgent de mettre fin à l'incertitude par une démarche claire qui devra mettre fin à l'impasse et mener à des résultats sans tarder. » Fin de la citation. Pour y arriver, le rapport proposait l'adoption d'une loi qui prévoit, et je cite, « la tenue d'un référendum sur la souveraineté ». Et je cite toujours : « [...] que ce référendum, s'il est affirmatif, propose que le

Québec acquière le statut d'État souverain une année, jour pour jour, après la date du référendum ». Fin de la citation.

Monsieur le Président, j'ai signé ce rapport, j'ai apposé mon nom sous celui du chef du gouvernement de l'époque. Mon parti était disposé à se joindre au gouvernement, sous son leadership, dans son comité du Oui, pour faire avancer le Québec et lui faire obtenir enfin la reconnaissance et l'égalité. Ce rassemblement semblait possible. Lorsqu'il est apparu que le gouvernement libéral n'avait nullement l'intention de respecter sa parole ou sa signature, mon parti a choisi de ne pas le suivre lorsqu'il a fait voter par cette Assemblée une loi, la loi 150, que le gouvernement, on s'en est rendu compte, n'avait nullement l'intention d'appliquer.

Reste que les actes de cette Assemblée montrent que le chef de l'opposition a voté en faveur d'une loi prévoyant la tenue d'un référendum sur la souveraineté et l'accession du Québec au statut d'État souverain un an plus tard. Le chef de l'opposition a voté pour à toutes les étapes. Il n'a pas proposé d'amendements, il n'a pas souhaité ajouter le mot « séparation » ou le mot « pays », il n'a pas protesté. Il faut ajouter qu'il était, en cela, logique avec le programme de son parti politique. Depuis 1991 jusqu'en 1994, pendant trois ans, la souveraineté fut au cœur du programme du Parti libéral du Québec. Dans ce qu'il est convenu d'appeler le « rapport Allaire », approuvé par 80 % des militants libéraux réunis en congrès régulier, on trouve les propos suivants, et je cite : « Dans la mesure où le référendum porterait sur la souveraineté et que la réponse serait positive, l'appel au peuple serait ensuite suivi d'une demande formelle de l'Assemblée nationale auprès du gouvernement du Canada d'engager, dans les meilleurs délais, les discussions devant mener à l'accession du Québec au statut d'État souverain et que, dans cette deuxième hypothèse, le Québec offre au reste du Canada l'aménagement d'une union économique gérée par des institutions de nature confédérale. »

Pas 1894, Monsieur le Président, 1994. Nous ne sommes pas loin du texte même du projet de loi 1 et du libellé de la question. Nous savons maintenant que, pour assurer un véritable rapport de force aux Québécois dans leur relation d'égalité avec leurs voisins, il faut voter en faveur de la souveraineté, sereinement, définitivement – ni condition, ni ultimatum, ni trait d'union.

Mais, cela dit, on ne peut que constater que le projet de loi sur l'avenir du Québec et la question référendaire reprennent les axes principaux que je viens de citer, contenus dans des documents du Parti libéral du Québec ou dans des documents que les leaders de ce parti ont cosignés. Nous ne sommes pas loin non plus de Louis-Joseph Papineau, pas loin des libéraux de 1867, pas loin de Daniel Johnson père, pas loin même de la question de Bruxelles et de la superstructure proposée par Robert Bourassa il y a trois ans.

Je l'ai dit, nous étions prêts à participer au rassemblement que souhaitaient les Québécois en 1990 et que semblait vouloir former le Parti libéral. Mais les leaders de ce parti ont préféré gaspiller le moment que l'histoire leur présentait et se lancer dans une ultime tentative, pourtant clairement vouée à l'échec, de renouvellement de la fédération. Cela a conduit à la campagne de Charlottetown de l'automne 1992, pendant laquelle, on s'en souviendra, le chef du Parti libéral a tout au moins refusé d'être vu avec M. Jean Chrétien pour plus de quelques minutes. Il y a des gens, au Parti libéral du Québec, qui ont refusé d'abandonner le combat québécois pour la reconnaissance et pour l'égalité. Il y en a qui ont refusé d'épouser les thèses de Jean Chrétien et d'oublier celles de Claude Ryan. Entre autres, il y en a un ici, dans cette Chambre, le député de Rivière-du-Loup. Je sais qu'il y en a beaucoup d'autres dans les circonscriptions, dans la Commission-Jeunesse. On me dit qu'il y en a même autour du chef de l'opposition, et ça ne me surprend pas, parce qu'on ne peut abandonner en quelques années le combat de générations de libéraux.

À l'élection de l'an dernier, les Québécois nous ont donné la tâche de construire le grand rassemblement des Québécois que la commission Bélanger-Campeau avait appelé de ses vœux. Nous le faisons, ce rassemblement, en étant fidèles à la volonté passée et actuelle des Québécois.

Monsieur le Président, dès son élection, le gouvernement a choisi de faire confiance à la parole des citoyennes et des citoyens. C'est entre leurs mains qu'a été mise la responsabilité de dessiner l'avenir. En février dernier, aux commissions sur l'avenir du Québec, plus de 53 000 citoyens de partout au Québec ont participé à 435 activités publiques, 288 commissaires ont entendu 5 000 interventions, pris connaissance de

5 500 mémoires. Dans de telles conditions, Monsieur le Président, il était facile pour trois chefs de parti politique de définir le projet du Québec en se fondant sur les espoirs et les besoins exprimés par les citoyens.

L'entente tripartite du 12 juin 1995 entre le Bloc Québécois, l'Action démocratique du Québec et le Parti Québécois est une entente naturelle parce qu'elle émane des aspirations du Québec. Cette entente, elle traduit la convergence de trois partis déterminés à provoquer un véritable rassemblement pour un véritable changement. Il n'y a pas de menace ou d'ultimatum dans notre démarche, pas question de mettre de couteau sous la gorge de nos partenaires, pas question de les obliger à changer leur vision de leur pays pour s'adapter à la nôtre. Nous disons simplement : les Québécois deviendront souverains, ils offriront à leurs voisins un nouveau partenariat économique et politique. Ils seront prêts à en discuter immédiatement, sur les bases que l'entente et le projet de loi proposent ou sur la base de contre-propositions qui pourront être faites par nos voisins.

Nous voulons préserver l'intérêt économique des Québécois et des Canadiens et nous prendrons toutes les mesures utiles pour nous en assurer. Ces intérêts, ils sont clairs, ils sont nombreux et ils s'imposent d'eux-mêmes. Le Canada exporte pour 33 000 000 000 $ au Québec. À l'inverse, nous exportons pour 34 000 000 000 $ au Canada. À eux seuls, ces importants échanges donnent toute la mesure de nos intérêts mutuels. Le maintien, voire le renforcement de ce commerce s'inscrit également dans les tendances mondiales de globalisation des marchés.

La souveraineté, c'est le seul moyen dont dispose le Québec pour obtenir sa reconnaissance en tant que peuple. Le partenariat, c'est l'instrument qu'il se crée pour établir des rapports d'égalité avec ses voisins. La souveraineté et l'offre de partenariat constituent la véritable continuité dans l'histoire québécoise. C'est pourquoi elle est appuyée par des héritiers des partis de René Lévesque, de Jean Lesage, de Daniel Johnson, le père. Le projet que nous offrons aujourd'hui est la suite logique de notre histoire. La rupture dans l'histoire du Québec, ce serait de cautionner la vision unitaire proposée par Jean Chrétien. Le programme de l'après-Non, il a été défini vendredi matin, il y a quelques jours, par M. Clyde Wells. La seule offre sur la table, a-t-il dit, c'est que le Québec demeure une province comme les autres.

Voilà ce que nous promet le Non : ni égalité, ni reconnaissance, ni tolérance non plus pour la volonté des Québécois d'être différents dans la gestion de leurs affaires comme ils le sont dans leur culture et dans leur langue. Le Non propose de renoncer au combat des souverainistes et des fédéralistes québécois du dernier siècle. Le Non, c'est la rupture avec ce que nous sommes et ce que nous avons toujours voulu devenir. C'est aussi se condamner à une nouvelle période de chicanes stériles et inutiles.

Si les Québécois se disaient Non, ils se mettraient immédiatement en position de se faire dire Non par le Canada. Et l'histoire nous le démontre, ce Non ne mettrait pas fin à l'espoir des Québécois. Nous reporterions sur la jeune génération le débat sur l'avenir du Québec, que nous n'aurions, de toute évidence, pas réglé en votant Non. Ce refus signifierait se condamner à une double chicane, chicane avec Ottawa et les autres provinces, chicane au sein même d'une nouvelle génération de Québécois. Bref, le Non est le camp de la chicane, inutile et continuelle.

Le Québec que nous proposons au contraire aujourd'hui est une société qui, libérée des chicanes fédérales-provinciales, s'affirmera au monde et travaillera en bon voisinage avec les autres peuples. Ce sera un pays de 7 000 000 d'habitants qui disposera d'un produit intérieur brut de 170 000 000 000 $.

Le Québec que nous proposons deviendra le 29e nouveau membre de l'Organisation des Nations unies depuis cinq ans. Vous le voyez, notre arrivée ne surprendra personne.

Le Québec que nous proposons est libre-échangiste. Il sera, dès le premier jour, la 16e puissance économique au monde et le 8e partenaire commercial des États-Unis. Ce ne sera pas un joueur de ligues mineures. Son commerce avec le géant américain, par exemple, représentera le commerce combiné des États-Unis avec le Brésil, l'Argentine et le Chili ensemble. Et nous savons que, si nos échanges avec le Canada ont stagné ces dernières années, nos échanges avec les États-Unis ont augmenté de 15 % par an. Par an !

Ce Québec de langue et de culture communes françaises vivra en harmonie avec une communauté anglophone, dont les droits seront reconnus et avec les nations autochtones, qui disposeront de l'autonomie gouvernementale leur permettant non seulement de préserver leur langue, leur culture et leurs traditions, mais aussi de contrôler leur développement économique, social et politique.

Ce Québec maîtrisera pleinement ses leviers économiques plutôt que de continuer à voir une large part de ses moyens financiers et de ses politiques contrôlés par un Parlement fédéral où le Québec n'a jamais pu et ne pourra jamais disposer que d'une voix minoritaire.

Nous pourrons enfin sortir d'un régime fédéral qui a choisi de nous retourner nos taxes et nos impôts sous forme d'assurance-chômage et d'aide sociale plutôt qu'en investissements développant l'emploi chez nous, un régime qui accorde, depuis des années, 50 % de ses dépenses en recherche et développement à l'Ontario et 18 % seulement au Québec, un régime où le Québec ne reçoit que 19 % des achats de biens et services fédéraux pourtant financés par nos taxes, celles du quart de la population canadienne.

Nous pourrons enfin mettre fin au gaspillage, aux chevauchements, aux dédoublements qu'entraîne l'existence de deux ministères des Finances, du Revenu, de l'Agriculture, de la Santé, de l'Immigration et de tant d'autres.

Nous pourrons enfin travailler à sortir du cercle vicieux du chômage chronique dans lequel nous plonge le fédéralisme canadien. Nous pourrons enfin mieux travailler à l'avenir de nos jeunes et des Québécoises exclus du marché du travail. Nous pourrons enfin contrôler toutes les politiques de formation de main-d'œuvre que le Québec réclame unanimement

depuis tant d'années et que le gouvernement fédéral tient à
contrôler.

Nous pourrons enfin répondre aux volontés des régions de
rapprocher de la population les pouvoirs de décision et les outils économiques qui leur font cruellement défaut. Nous pourrons aussi, d'une part, mieux profiter des possibilités que nous
offre l'ouverture accélérée des marchés internationaux et,
d'autre part, mieux relever les défis que cette ouverture nous
offre.

La question que nous proposons aux Québécoises et aux
Québécois repose sur la confiance en ce que nous sommes et
en ce que nous pouvons devenir : confiance en nos gens d'affaires, ceux des secteurs déjà bien développés, comme le génie-
conseil, le transport, le matériel ferroviaire, l'aéronautique,
l'agroalimentaire, les communications et les institutions financières, les pâtes et papiers, le bois d'œuvre, l'aluminium et le
secteur minier, le logiciel et les industries culturelles ; confiance
en nos petites et moyennes entreprises, premières responsables
de la création d'emplois et dont les succès de plus en plus fré-
quents et spectaculaires, sur la scène mondiale, témoignent de
notre ingéniosité et de notre détermination ; confiance dans
notre volonté d'assurer le maintien de nos acquis sociaux, qui
illustrent notre sens de la solidarité ; confiance dans les créateurs, les artistes, les chercheurs, bref les femmes et les hommes du Québec.

Monsieur le Président, le projet de loi que vous avez devant
vous, la proposition de question référendaire sont des instru-

ments qui peuvent enfin regrouper les Québécois de toutes origines et de toutes conditions sociales, de toutes tendances et de toutes appartenances pour atteindre enfin leurs objectifs d'égalité et de reconnaissance. Ce projet et cette question sont le fruit de la continuité de notre histoire et la convergence entre les deux grands courants de l'histoire québécoise récente. Ceux qui étaient dans des camps opposés, en 1980, peuvent s'y reconnaître. Ceux qui ont cru à Meech, ceux qui ont cru même à l'ultime tentative qu'était Charlottetown peuvent s'y retrouver. Ceux et celles qui veulent mettre fin aux chicanes peuvent s'y retrouver.

Les membres du camp du changement, lorsqu'on y pense bien, sont presque tous d'anciens fédéralistes, presque tous d'anciens partisans de Jean Lesage ou de Daniel Johnson le père. J'y étais, moi, à l'époque, comme René Lévesque, comme Jean Allaire, qui militait déjà, comme Marcel Masse. La seule différence entre les membres du camp du changement, c'est que nos chemins ont été différents. Notre point de rencontre est le même : la combinaison de la souveraineté et du partenariat. L'année : 1995.

C'est dans cet esprit que MM. Bouchard et Dumont et moi-même avons convenu, vendredi dernier, que nous allions faire un pas de plus dans ce rassemblement. Le projet de loi prévoit la constitution d'un comité d'orientation et de surveillance des négociations de partenariat. Des figures compétentes du Québec seront appelées à y siéger. Nous ferons connaître le nom de plusieurs membres du comité avant le référendum, en toute transparence. Mais nous avons décidé de réserver deux sièges, sur cet important comité, à des personnalités qui auront œuvré dans le camp du Non, cette année. Au lendemain de la victoire du Oui, en consultation avec le chef de l'opposition et ses collègues, nous voudrions nommer deux Québécois qui ont cru au Non, mais qui, en démocrates conséquents, voudront mener à bien la démarche collective québécoise en toute indépendance d'esprit.

Je ne m'attends évidemment pas à ce que le chef de l'opposition se commette tout de suite, mais je lui signale aujourd'hui notre intention de construire une solidarité plus vaste au lendemain d'un Oui. Ce débat est celui d'un peuple, d'un pays à définir. Nous devons le mener en gardant à l'esprit que nous le faisons pour et avec les Québécoises et les Québécois. Pour moi et pour les membres du camp du changement, le Oui, c'est le bruit d'une porte qui s'ouvre, c'est le signal d'un rassemblement encore plus grand.

Je dépose donc la motion :

« Que les versions française et anglaise de la question devant faire l'objet d'une consultation populaire et être inscrite sur le bulletin de vote, conformément aux articles 8, 9 et 20 de la Loi sur la consultation populaire, soient les suivantes :

« "Acceptez-vous que le Québec devienne souverain, après avoir offert formellement au Canada un nouveau partenariat économique et politique, dans le cadre du projet de loi sur l'avenir du Québec et de l'entente signée le 12 juin 1995 ?" »

~

Professeur à l'École des Hautes Études Commerciales, Jacques Parizeau fut consultant pour divers ministères du gouvernement du Québec, puis conseiller économique et financier de trois premiers ministres.

Il devint député de l'Assomption en 1976. Successivement ministre des Finances, du Revenu, président du Conseil du Trésor et ministre des Institutions financières et coopératives, Jacques Parizeau quitte son poste de député et de ministre en novembre 1984.

De nouveau professeur à l'École des Hautes Études Commerciales de Montréal, il préside également l'Union des municipalités du Québec en 1985 et en 1986. C'est le 19 mars 1988 qu'il devint président du Parti Québécois. Chef de l'opposition officielle, il est élu premier ministre du Québec en 1994. Les résultats du référendum sur la souveraineté du Québec de 1995 le conduiront à quitter ses fonctions politiques.

Lucien Bouchard

Discours d'assermentation prononcé à la salle
du Conseil législatif de l'Assemblée nationale
du Québec, le lundi 29 janvier 1996.

Monsieur le lieutenant-gouverneur, distingués invités, chères Québécoises, chers Québécois,

Le gouvernement que j'ai l'honneur de vous présenter aujourd'hui a été, en quelque sorte, taillé sur mesure pour les défis qui se présentent aux Québécois cette année. La sélection des talents et l'organisation du gouvernement ont été totalement dictées par l'effort que nous devrons consentir, dans les mois qui viennent, essentiellement dans trois grands secteurs.

Je dis trois secteurs parce que l'action gouvernementale est efficace lorsqu'elle est concentrée sur un nombre limité d'objectifs. C'est vrai aussi pour notre société. Si nous voulons tenir un grand débat, le faire progresser, changer les mentalités et inscrire nos décisions durablement dans la réalité, l'éparpillement est notre adversaire.

C'est pourquoi dans l'année qui s'ouvre, ce gouvernement va se concentrer sur un certain nombre de tâches capitales et va inviter les Québécois à forger de nouveaux consensus.

Premier dossier : la relance de l'emploi et l'assainissement des finances publiques.

Deuxième : la réforme de l'éducation et l'effort culturel.

Troisième : la maîtrise, par les régions, de leviers importants de décision et la reconnaissance du rôle déterminant de Montréal dans la vie québécoise.

Trois dossiers, vous le voyez, qui présentent des problématiques distinctes, mais qui s'entrecroisent. Les solutions qu'il faut inventer en éducation doivent servir la culture et l'économie ; la régionalisation doit servir l'emploi et l'éducation ; le nouveau muscle politique de Montréal doit servir la culture et l'emploi.

Je voudrais vous parler du climat général dans lequel le Québec entame cette nouvelle année. En ce moment, un mot semble occuper nos pensées, nos discussions et nos projets. Il s'agit du mot « difficile ».

La vie, pour plusieurs centaines de milliers de Québécois sans emploi ou qui vivent dans la précarité, est difficile. Le nouveau gouvernement québécois, dit-on avec raison, est placé devant des choix difficiles. L'assainissement nécessaire des finances collectives du Québec, c'est indubitable, promet des moments difficiles. Il faudra faire des sacrifices, perdre quelques habitudes bien ancrées. Lesquelles ? Pour l'instant, c'est difficile à dire.

Mais aujourd'hui, je voudrais vous proposer de changer de mot. Et pour y arriver je suggère de puiser, en cette fin de millénaire, dans la sagesse d'un homme politique, avocat et philosophe du début du millénaire, Lucius Sénèque.

Je le cite : « Ce n'est pas parce que les choses sont difficiles que nous n'osons pas ; c'est parce que nous n'osons pas que les choses sont difficiles. »

Vous le voyez, le mot clé est le mot « oser ».

La phrase décrit d'ailleurs exactement ce que nous vivons aujourd'hui. Les finances publiques du Québec – et d'ailleurs du Canada – sont dans une situation difficile parce que, pendant près de 10 ans, on n'a pas osé faire le ménage qui s'imposait. On n'a pas osé faire les choix nécessaires. On n'a pas osé mécontenter tel ou tel groupe, on n'a pas osé prendre ses responsabilités et mettre les Québécois devant leurs responsabilités.

Nous savons que moins nous oserons, plus les choses seront difficiles. Chaque déficit annuel accroît notre dette, accroît donc la portion de notre budget qu'il faut consacrer aux intérêts de la dette, au détriment de nos autres besoins. Ces déficits restreignent par conséquent notre capacité à améliorer la condition des Québécois.

C'est un peu comme si on se mettait, collectivement, une camisole de force et qu'avec chaque déficit, on serrait encore d'un cran. Déjà, la capacité d'initiative de l'État des Québécois est réduite. Il nous serait impossible aujourd'hui, si le besoin s'en faisait sentir, d'inventer les cégeps ou le réseau de l'Université du Québec. Il nous serait impossible aujourd'hui de créer l'assurance-hospitalisation ou d'appliquer le rapport Parent sur l'éducation. Pensez-y : il nous serait impossible de déclencher la Révolution tranquille.

En 1996, choisir de ne rien faire, de laisser aller, ce serait accepter que, demain, notre force collective soit ligotée à un point tel que nous risquions l'immobilisme, l'engourdissement, l'atrophie.

Nous, du gouvernement et de l'Assemblée nationale, sommes les dépositaires de l'outil collectif des Québécois, nous sommes les gardiens de sa santé, nous sommes responsables de son dynamisme. Nous prenons donc l'engagement, ici, aujourd'hui, de nous appuyer sur la volonté des Québécois pour rendre à leur État sa liberté de mouvement, pour lui redonner sa marge de manœuvre, sa capacité d'inventer et de voir grand.

Et pour y arriver, mesdames et messieurs, cette année, nous allons oser. Nous allons oser mettre les chiffres sur la table et se parler franchement. Nous allons oser briser les tabous, bousculer les habitudes, ouvrir les esprits.

En faisant cet exercice, nous devons songer particulièrement à nos jeunes. À ceux qui n'ont pas connu les « trente glorieuses », les années de croissance ininterrompue, le climat d'ambition illimitée et de tranquille certitude en un avenir forcément meilleur. Les femmes et les hommes du Québec qui sont nés dans les années soixante-dix et quatre-vingt se sont ouverts à la vie alors que se refermaient devant eux les portes du succès et de la prospérité.

Ce serait une injustice terrible si nous devions, par notre insouciance ou notre passivité, leur laisser pour héritage une facture monstrueuse et un État en ruine.

Nous avons donc une autre responsabilité, nous les citoyens et les gouvernants membres des générations qui ont profité de ces belles années. Je dis « des générations » parce qu'il y en a plus d'une. Les baby-boomers, bien sûr, mais encore plus les parents du baby-boom qui sont aujourd'hui à l'heure d'une retraite bien méritée, mais dans leur cas bien assurée. Ce qui ne semble pas aussi certain pour les plus jeunes.

Il nous incombe de renvoyer un certain nombre d'ascenseurs. Lorsque nous avions leur âge et que nous en avons eu besoin, la collectivité québécoise a été envers nous d'une grande générosité. Aujourd'hui, il nous revient de faire preuve de solidarité et de générosité envers les jeunes Québécois. J'allais dire que c'est notre devoir. Je dirais plus simplement que c'est un savoir-vivre élémentaire.

Je ne sais pas encore de façon détaillée quelle forme cette solidarité devrait prendre. Quels gestes précis il faudrait poser. Quelles ouvertures il faudrait aménager, tout en s'assurant d'une participation encore plus grande de nos aînés dans notre vie collective. C'est pourquoi j'appelle aujourd'hui, en particulier, les Québécoises et les Québécois de plus de 45 ans à réfléchir à cette question. Je les invite à mettre leur talent et leur considérable ingéniosité à l'œuvre, pour faire en sorte que les générations qu'on dit montantes... puissent monter vraiment.

Depuis un an, le gouvernement du Parti Québécois a mis un frein salutaire à la spirale de l'endettement. Cette année, ensemble et avec tous les Québécois de bonne volonté, nous allons franchir une étape décisive. Nous allons éponger, d'ici un an, le déficit des opérations courantes. Nous devons poursuivre, ensuite, sur cette lancée, pour briser durablement le cycle de l'endettement.

Mesdames, messieurs, voilà notre première tâche : arrêter d'hypothéquer notre avenir. Mettre un terme à l'engourdissement de notre État.

Et, de toutes nos forces, nous tenterons de le faire sans augmenter les impôts des contribuables et sans augmenter la taxe de vente du Québec. Car notre objectif n'est pas de ralentir l'économie, de nuire aux affaires et à l'emploi, d'aggraver le sort des démunis, d'alourdir le fardeau des consommateurs, mais au contraire de leur donner une bouffée d'oxygène.

Voilà ce que signifie, pour nous, en 1996, le mot « oser ».

Si nous osons cette année, que se passera-t-il, ensuite ? Graduellement, nous pourrons commencer à desserrer la camisole de force. Nous commencerons à retrouver notre marge de manœuvre. Nous pourrons investir plus et mieux pour le présent, et pour l'avenir.

J'insiste sur ce laps de temps assez court, parce que les Québécoises et les Québécois ont trop entendu de discours creux appelant à des sacrifices immédiats, pour des résultats qui se perdent dans le brouillard d'un avenir indéfini.

Je pense au contraire que, pour concentrer les esprits et les énergies cette année, il faut nous donner un échéancier serré, pour que chacun puisse constater, bientôt, le fruit de son labeur et pour que la mémoire nous serve à bien juger les engagements de chacun en regard des résultats.

Mais au moment de nous engager dans cet exercice, il faut s'armer de grands principes qui doivent guider notre action.

Nous voulons que notre État ne soit pas appauvri ; ce serait un comble si, pour y arriver, nous appauvrissions les Québécois.

Nous voulons que notre État ait une plus grande capacité à établir la justice et à assurer l'égalité des chances ; ce serait un comble si, pour y arriver, nous devions accroître l'injustice sociale et l'inégalité des chances.

Vous voyez, il faut non seulement que les réorganisations, les compressions et les coupures se fassent dans l'équité, mais il faut de plus que les gestes que nous posons pour assainir notre budget collectif soient conçus comme des instruments d'une plus grande créativité, d'une plus grande justice et d'une plus grande équité.

Il faut de plus – et j'arrive ici à un point essentiel – que nous menions de pair notre effort de réduction des dépenses et notre action pour l'emploi. C'est pourquoi le gouvernement québécois est maintenant doté d'un grand ministère de l'Économie et des Finances, responsable aussi, avec deux ministres délégués, de l'Industrie et du Commerce ainsi que du Revenu. Le nouveau ministre de l'Économie et des Finances présidera, de surcroît, le comité ministériel de l'emploi et du développement économique.

Nous pensons ainsi créer une synergie nouvelle au sein du gouvernement entre les décisions financières et les décisions de développement économique et d'emploi.

Il n'y aura donc pas, au Québec, de « massacre à la tronçonneuse ». Nous ne tournerons pas le dos à la solidarité et à la compassion. Le voudrait-on que nous ne le pourrions pas. Ce serait, pour nous Québécois, contre nature. Cependant nous pouvons faire beaucoup dans notre administration, dans notre gestion, dans nos lois. Dans notre jungle actuelle de bureaucraties et de programmes, nous allons émonder et aménager. Nous tenterons de tailler ici, un potager, là, un jardin.

Vaste programme ! Oui, c'est vrai. Vaste programme.

Il n'est réalisable qu'avec la collaboration de tous nos citoyens, de nos syndicats, des gens d'affaires, des groupes communautaires, des gens des villes, des régions et des campagnes, des francophones, des anglophones, des Néo-Québécois.

Je devrais dire aussi : des souverainistes et des fédéralistes. C'est vrai. Certains radicaux auraient peut-être la tentation de travailler à l'échec de cette grande entreprise, pour ne pas donner à un gouvernement souverainiste la capacité de réussir là où des gouvernements fédéralistes ont échoué.

Je leur dirai que l'intérêt qui nous unit cette année est l'intérêt du Québec. Si nous réussissons, souverainistes et fédéralistes, ensemble, nous saurons bien ensuite, chacun de notre côté, présenter cette réussite à notre façon. Les fédéralistes diront que cela prouve bien que le succès est possible au sein du cadre fédéral ; les souverainistes diront que cela prouve bien que le Québec peut s'engager vers la souveraineté sur des bases plus saines qu'auparavant. Cela fera un beau débat.

Mais d'ici là, j'appelle les fédéralistes, notamment ceux du monde des affaires, à donner la priorité à l'économie et à savoir faire la différence entre leurs contributions légitimes au débat politique et leurs contributions nécessaires au redressement économique.

Pour notre part, et je l'ai clairement indiqué à un certain nombre de représentants des deux camps que j'ai rencontrés depuis un mois, nous n'avons pas l'intention d'étudier les propositions de réforme à travers le prisme des coalitions ou des votes référendaires.

La réussite de notre action dépend entièrement de l'ouverture d'esprit, de l'imagination et de la participation des Québécois et de leurs organisations.

D'ici quelques semaines, ces organisations seront conviées à présenter lors d'un premier forum des propositions concernant l'emploi et les finances publiques. Ces contributions nous seront précieuses pour les actions que nous devrons prendre à court terme.

Mais certaines réflexions demanderont plus de travail, plus de débats, plus de mûrissement. C'est pourquoi je demanderai aux Québécois et à leurs organisations de poursuivre leurs réflexions sur un certain nombre de pistes jusqu'à l'automne. Un second rassemblement aura alors lieu pour discuter de ces nouvelles solutions et pour élaborer plus globalement un nouveau pacte social québécois.

Les États généraux de l'éducation, actuellement en cours, seront invités à imbriquer leur action dans ce nouveau cadre général et à remettre leurs conclusions à temps pour nourrir le débat plus large de l'automne. Les consultations en cours sur le dossier de l'énergie et sur la politique de la main-d'œuvre convergeront vers ce même grand débat.

Dans cette année où nous parlerons beaucoup de chiffres, l'éducation et la culture constituent en quelque sorte notre rempart ou notre antidote contre la tendance à tout voir par la lorgnette de l'économie. Ce n'est pas vrai qu'on peut comprendre une société en se contentant, à proprement parler, de la « déchiffrer ». Il faut la lire et l'écouter, l'apprendre, la remodeler, la raconter et la chanter.

Il faut se le dire franchement : la qualité de la vie québécoise des prochaines décennies dépend entièrement des choix que nous ferons en éducation à compter de cette année. Qu'il s'agisse de formation professionnelle, où la tâche est immense, qu'il s'agisse de la maîtrise de notre principal outil commun, la langue française, qu'il s'agisse de la compréhension de notre histoire, de l'apprentissage de l'effort, de la rigueur et de la créativité, tout passe par l'éducation. Il faut décider, maintenant, si nous voulons former des générations de décrocheurs ou des générations de bâtisseurs.

Ce gouvernement, s'il réussit, sera le gouvernement de l'éducation et de la culture. Il sera aussi le gouvernement de la modernité en français. C'est pourquoi la ministre de la Culture et des Communications sera responsable du dossier de l'autoroute de l'information. C'est là que se situe un des plus grands défis pour l'avenir de notre langue.

L'éducation doit préparer à l'emploi, je l'ai dit, mais, si elle ne faisait que ça, elle échouerait à demi. De même, il faut soutenir l'industrie culturelle, indiscutablement. Mais si la culture n'était qu'industrie, nous serions tous appauvris.

La réalité québécoise même, l'identité québécoise, nous imposent un effort constant en éducation et en culture. Car s'il est vrai, comme le monde entier l'a compris le 30 octobre dernier – et comme l'ont enfin compris un grand nombre de Canadiens – s'il est vrai, donc, que le peuple québécois existe, il est vrai aussi que ce peuple a une âme. Cette âme se doit d'être nourrie, métissée, enrichie, contestée, bousculée, réinventée. Et cela ne peut se faire que par la culture et par l'éducation. Et cela ne peut se faire que par la culture dans l'éducation.

J'ai parlé de notre effort en matière d'emploi et de finances publiques, j'ai parlé de nos défis en éducation et en culture. Un troisième chantier s'ouvre devant nous : celui de la régionalisation et de la relance de Montréal.

Le premier ministre, M. Jacques Parizeau, avait eu raison de juger que les régions n'étaient pas adéquatement représentées au centre du pouvoir québécois. En instituant les délégués régionaux, il tentait une expérience et il proposait d'en revoir le fonctionnement après une période de rodage.

Nous avons procédé à cette révision et il nous est apparu important que chaque région du Québec ait son représentant désigné au gouvernement québécois. En fait, il nous est apparu important que chaque région ait deux représentants désignés. Et nous avons voulu faire en sorte que ces représentants soient en prise directe avec les leviers de décision, donc avec le Conseil des ministres et avec le premier ministre.

D'une part, chaque région du Québec dispose dorénavant d'un ministre désigné. Il s'agit d'un membre du gouvernement qui, en plus de sa tâche sectorielle, a la responsabilité de sa région.

Pour ma part, alors même que j'ai décidé que le ministère du premier ministre, qu'on appelle le Conseil exécutif, n'aurait plus aucune responsabilité sectorielle et se concentrerait sur la coordination, l'appréciation et le suivi de l'ensemble des activités du gouvernement, j'estime que l'objectif de régionalisation nécessite l'impulsion du premier ministre lui-même. C'est pourquoi je me suis désigné comme président du comité ministériel qui réunira périodiquement tous les ministres régionaux. Ensemble nous pourrons dégager une vision territoriale et régionale de nos actions et accentuer l'effort de régionalisation en cours.

Le ministre responsable du Développement des régions coordonnera ce travail. Avec ses ministres délégués, il aura de plus la responsabilité des ressources du territoire, des Affaires autochtones et de la réforme électorale, ce qui créera une synergie nouvelle dans l'action du gouvernement.

Chacun des ministres régionaux sera épaulé, dans son travail, par un député qui portera le nouveau titre de Secrétaire régional. Ce secrétaire pourra aussi, à la demande du ministre, se charger de missions sectorielles.

Je résume : les régions disposeront d'un ministre et d'un Secrétaire régional et les questions régionales seront débattues dans un nouveau forum, présidé par le premier ministre. J'ai bon espoir que cette formule, mieux intégrée aux véritables lieux du pouvoir, permettra d'aller plus loin encore dans la synthèse nécessaire des objectifs nationaux et des particularités régionales.

Montréal et sa région métropolitaine présentent un cas à part. La démographie montréalaise, la complexité de son tissu de villes et de banlieues, son rôle économique et culturel, l'ampleur des problèmes qui l'assaillent démontrent amplement que le Montréal métropolitain doit être doté d'un levier politique à sa mesure.

Le nouveau ministre responsable de la région métropolitaine de Montréal aura le mandat de promouvoir la métropole dans la définition d'actions gouvernementales spécifiques et dans la concertation des initiatives venant du milieu montréalais.

Il déposera d'ici juin un projet de loi constitutive d'une Commission de développement de la région métropolitaine de Montréal.

La Commission métropolitaine exercera elle-même d'importantes responsabilités de promotion économique et sera chargée de conseiller le gouvernement en matière d'aménagement du territoire métropolitain, de transport, de culture, d'équipement et en toute autre matière affectant la métropole.

Le ministre présidera cette Commission et elle sera formée essentiellement d'élus locaux. Ce qui aura pour résultat que des représentants de la métropole seront à la fois le cerveau et le muscle des actions qui toucheront la vie de notre plus importante agglomération. Nous abordons ce changement avec un esprit de réforme. Nous sommes prêts à en faire une révolution.

D'autant que graduellement, et en parallèle avec la décentralisation, la Commission métropolitaine se verra confier d'autres responsabilités. De surcroît, le ministre responsable de la métropole siégera dans chacun des comités ministériels de coordination et au comité des priorités. Les autres ministres dont les actions auront un impact significatif sur la métropole associeront le ministre de la région montréalaise à leur réflexion et à leurs interventions.

Le ministre et sa Commission n'auront d'ailleurs aucune hésitation à user de leur influence pour que le gouvernement fédéral fasse sa juste part dans la relance de la métropole. Le soir du référendum, le premier ministre Jean Chrétien disait vouloir tendre la main à son homologue québécois sur les questions d'économie et d'emploi. Nous le prendrons au mot, lui et en particulier ses ministres de la région de Montréal.

Vous le voyez, alors même que nous voulons renforcer la présence des régions au sein du gouvernement, nous faisons en sorte que jamais Montréal n'ait eu autant de poigne qu'aujourd'hui. À Québec, la Commission de la capitale nationale continuera son œuvre nécessaire.

Dans ce gouvernement, on trouve notamment deux autres nouveautés. Un ministère qui apparaît, et un qui disparaît.

Le peuple québécois, c'est une évidence, est composé de citoyens, tous égaux, sans exclusive – quelle que soit leur langue ou leur origine. Le Québec a la responsabilité d'assurer à tous ses citoyens la protection de leurs droits fondamentaux, d'assurer la qualité des rapports entre le citoyen et l'État québécois. Il a la responsabilité de promouvoir la civilité en général et les relations interculturelles en particulier.

C'est pourquoi nous avons créé un ministère délégué aux Relations avec les citoyens. Il s'occupera des droits de la personne, de la protection des consommateurs, de l'accès à l'information. Il supervisera aussi l'action des secrétariats à la famille, à la jeunesse et à l'action communautaire ainsi que le Conseil des aînés. Il accueillera les nouveaux citoyens : ceux qui naissent en sol québécois, d'où sa responsabilité en matière d'État civil ; ceux qui se joignent à nous année après année, d'où sa responsabilité en matière d'immigration et de relations interculturelles.

Ce nouveau ministère, vous le voyez, a pour mandat de nous protéger, de nous écouter et de nous rassembler, au-delà de nos différences, de nos origines ou de nos choix linguistiques et politiques. J'ai l'impression, ces temps-ci, qu'il répond à un besoin.

Le ministère de la Sécurité du revenu, lui, va disparaître. Il nous a semblé que ce ministère s'occupait de deux clientèles assez distinctes et qu'il ne faut pas aborder avec la même approche. D'une part, un certain nombre de Québécois sont inaptes au travail et ont donc besoin de notre solidarité. Ils devraient être sous la responsabilité du ministère de la Santé et des Services sociaux.

D'autre part, un certain nombre de prestataires de l'aide sociale sont aptes au travail et sont dans l'attente de formation ou de réinsertion sur le marché de l'emploi. Dans leur cas, c'est le ministère de l'Emploi qui devrait être leur interlocuteur.

Le rapport Fortin-Bouchard sur la réforme de l'aide sociale nous aidera à faire ce tri et à renouveler nos approches. Le ministère de l'Emploi sera responsable de la période de transition qui s'ouvre.

~

Emploi et finances publiques, éducation et culture, régions et métropole, voilà les trois grands axes d'action de ce gouvernement. Voilà les trois dossiers sur lesquels nous serons jugés.

L'effort que nous allons consentir cette année sera le fruit de notre volonté et, j'en suis sûr, de notre intelligence collective. Les choix que nous ferons refléteront nos valeurs, nos priorités, l'état d'avancement de certains débats qui nous animent ici plus qu'ailleurs, de certaines initiatives que nous avons lancées et qui marquent notre différence. Ils testeront vraiment notre culture du consensus et de l'entraide. Une chose est certaine : les choix que nous ferons seront, dans une large mesure, à nul autre pareil.

En un sens, ce que les Québécois veulent cette année plus que jamais, c'est se comporter en peuple, désireux d'assumer sa responsabilité collective et d'aborder l'avenir sur des bases plus solides et plus modernes.

Se comporter comme un peuple, c'est aussi la ligne de conduite que nous adopterons envers nos voisins canadiens qui, ces temps-ci, ont engagé une profonde réflexion sur leur avenir et sur les liens qu'ils veulent entretenir avec nous. Le 30 octobre a sonné, au Canada, une sorte de réveil collectif. Dans le foisonnement actuel des remises en question, on entend bien quelques voix grinçantes et revanchardes. Mais on entend surtout la reconnaissance nouvelle de l'existence, au nord du continent américain, de deux peuples profondément différents, de deux peuples qui doivent bientôt décider de leur destin. Aucun dialogue fructueux ne peut s'engager sans une telle reconnaissance. Le Canada est en train de se résigner à cette idée. Je ne serais pas surpris si, dans un avenir assez proche, un peu partout au Canada, on se mettait à entendre des voix qui disent que la souveraineté et le partenariat, après tout, ce serait la meilleure solution.

To conduct ourselves like a people is the line of behaviour we shall adopt towards our Canadian neighbours, who have begun to reflect deeply on their own future and on the ties they want to maintain with us. Last October 30 was a kind of collective wake-up call for Canada. Amid the current search for new definitions, there are, yes, some harsh and vindictive voices being heard. Mainly, what we are hearing is a new recognition of the existence, here in the northern part of the American continent, of two profoundly different nations who shortly must decide upon their destiny. No fruitful dialogue can begin without that recognition. Canada is in the process of resigning itself to that notion. I would not be surprised if in the not too distant future, we begin to hear voices from many parts of Canada, asking if sovereignty and partnership would not be the best solution after all.

Pendant que les Canadiens s'interrogent, nous avons, nous, beaucoup de travail. Car ce que nous voulons, au fond, c'est oser être nous-mêmes, dans l'effort et la solidarité, pour pouvoir, demain, être encore plus libres de nos décisions et de nos ambitions.

Merci.

~

Avocat de profession, Lucien Bouchard a pratiqué le droit de manière ininterrompue jusqu'en 1985. Il a notamment agi à titre de coordonnateur de diverses équipes représentant le gouvernement du Québec dans les négociations publiques et parapubliques.

Lucien Bouchard fut ambassadeur du Canada en France de juillet 1985 à mars 1988, date à laquelle il est alors nommé Secrétaire d'État du Canada. En juin de cette même année, il devint député conservateur de la circonscription du Lac-Saint-Jean et est nommé ministre de l'Environnement. Il quitte le Parti conservateur en 1990, siège comme député indépendant puis fonde le Bloc Québécois le 15 juin 1991, parti qu'il présidera jusqu'en 1996.

C'est le 27 janvier 1996 que Lucien Bouchard est nommé président du Parti Québécois. Il est élu député de la circonscription de Jonquière le 19 février 1996 et fut premier ministre du Québec jusqu'en mars 2001.

Lucien Bouchard a aujourd'hui repris la pratique du droit.

Bernard Landry

*Allocution prononcée à Verchères
dans le cadre de la campagne au leadership
pour le poste de président du Parti Québécois,
le 21 janvier 2001.*

Avant de commencer, je dois m'acquitter d'un petit devoir de politesse envers les militants et les militantes du comté de Verchères. Je m'excuse, mes amis, profondément, de perturber ainsi notre assemblée générale annuelle. Ce n'était pas prévu quand la date a été fixée ! Je dois vous dire, par ailleurs, que, si ce que je vous annonce aujourd'hui se matérialise, je serai le deuxième député de Verchères à être chef de parti. Le premier était chef du Parti des patriotes, il s'appelait Louis-Joseph Papineau.

Chers compatriotes,
Militants et militantes,
Collègues, ministres et députés,
Mesdames et Messieurs de la presse,
Chers amis,

Ma réflexion est terminée et je suis venu à la conclusion, après examen approfondi de tous les facteurs pertinents et en raison des nombreux appuis qui me sont si chaleureusement exprimés, que je n'ai guère le choix. Il est de mon devoir de me porter candidat à la présidence du Parti Québécois au sein duquel je milite depuis 30 ans. Je suis à la fois enthousiaste et ému, vous le comprendrez, de briguer la succession de quatre hommes que j'ai estimés et servis de mon mieux : René Léves- que, Pierre Marc Johnson, Jacques Parizeau et Lucien Bou- chard. J'irai donc de l'avant avec vous tous et toutes.

Comme vous le savez, les dernières semaines ont été déchi- rantes pour moi comme pour bien d'autres. Le plan que j'avais pour la fin de ma vie publique consistait à seconder, de façon dévouée et loyale, le grand homme d'État qu'est Lucien Bou- chard tant que je me serais senti utile et ensuite à partir. Je dois maintenant choisir un autre parcours. Il m'est dicté encore et toujours par mon amour de notre patrie du Québec.

Cette décision confirme que, selon le vers immortel de Gaston Miron, « [j]e n'ai jamais voyagé vers autre pays que toi, mon pays ».

La vie comporte d'étranges retournements. Quand, il y a 15 ans, je souhaitais ardemment occuper le poste que je solli- cite aujourd'hui, les vents m'étaient tellement contraires que j'ai dû – non sans grande peine – abandonner et chercher à militer en d'autres qualités et autrement. C'est avec une immense nostalgie d'ailleurs que je songe que ma chère Lor- raine, qui me conseillait si bien en ces temps difficiles, n'est plus là à mes côtés pour m'aider à évaluer le nouveau parcours des choses. Ce sont donc les proches qui me restent que j'ai consultés en premier : mes enfants et ma vieille et charmante mère de 89 ans ainsi que mes amis intimes. Ils savent maintenant que je décide, avec un regret certain, de consacrer un peu moins de temps à l'art d'être grand-père. Je compenserai en intensité, comme je tentais de le faire de mon mieux quand Lorraine et moi avions de jeunes enfants. Ce métier n'est vraiment pas facile, puisqu'il nous force toujours partiellement à « quitter ceux qu'on aime » ; ce qui n'est acceptable que pour une cause qui nous dépasse et qui en vaut vraiment la peine, et c'est le cas de la cause du Québec.

C'est donc le fond de mon engagement politique et la trame entière de ma vie publique qui résument le mieux les raisons de ma décision : je suis l'homme d'une cause et d'une grande cause, celle de l'avancement national, économique, social, culturel et international de notre patrie bien-aimée.

Voici d'ailleurs, succinctement résumées, les six convictions de base qui m'ont motivé et vont me guider aussi bien comme chef de parti que comme premier ministre.

Premièrement, le Québec forme une nation politique, une nation politique civique inclusive qui englobe toute la population vivant sur le territoire à l'exception des autochtones dont les nations ont été formellement reconnues comme telles par notre Assemblée nationale en 1985 et en 1989. Le Québec est aussi la patrie d'une minorité nationale : les anglophones du Québec, dont les droits sont intangibles.

Deuxièmement, la question nationale du Québec n'est pas réglée. Le Québec n'a jamais adhéré à la présente constitution du Canada. Son État national, qui est déjà doté de certains moyens et pouvoirs importants, ne saurait se satisfaire d'un statut provincial réducteur et qui l'empêche de servir pleinement les intérêts de sa population et de pratiquer une saine gouvernance. Notre nation a l'obligation et le devoir de chercher la pleine reconnaissance de ce qu'elle est, autant au Canada que dans la communauté internationale. L'accès à l'entière souveraineté de notre État doit se faire dans la modernité, bien entendu, et l'efficacité et, préférablement, par exemple, au sein d'une union de type confédéral comme les nations européennes le font dans le respect de leur identité et de leur souveraineté propre. C'est ce que le général de Gaulle appelait l'Europe des nations. Nous voulons pour le Canada et le Québec une union entre nations égales. Plus loin dans le temps, peut-être, une intégration des Amériques, donc du cercle polaire à la Terre de Feu, une intégration des Amériques semblable à celle de l'Europe peut être considérée, mais d'abord et avant tout, la souveraineté nationale, base de tous progrès et évolution future.

Troisièmement, ça ne vous surprendra pas si je vous parle un peu d'économie. Il va falloir que je m'habitue à en parler moins et à avoir des horizons un peu plus universels, mais je ne pourrai pas évidemment me départir de mes premières amours. Le Québec, qui constitue déjà un des espaces économiques les plus diversifiés du monde, peut et doit augmenter bien davantage son niveau de richesse, ce que la souveraineté favoriserait d'ailleurs. Il faut continuer à combiner sagement les vertus de l'économie de marché, les capacités entrepreneuriales privées et l'action économique collective. Il faut continuer à développer, en l'améliorant, notre modèle original – toujours perfectible – qui conjugue l'intervention de l'État et la mobilisation de ses puissants moyens économiques avec l'action des entreprises privées, coopératives, associatives et de l'économie sociale. De ce point de vue, notre économie est déjà exemplaire. Cette façon de créer la richesse que nous avons maximise les possibilités d'un développement harmonieux autant que le maintien acceptable d'un niveau de contrôle québécois de nos propres entreprises. Inutile de dire que ces progrès ne sauraient se faire et ces stratégies se mettre en œuvre sans protéger avec soin notre environnement physique et chercher le développement durable.

Quatrièmement, la création de la richesse n'est pas une fin en soi. Elle doit déboucher sur une répartition équitable de la prospérité. C'est un des grands rôles de l'État, secondé par les efforts de la société civile et l'action communautaire, que de créer des chances égales d'épanouissement matériel et intellectuel pour toutes les personnes vivant au Québec. Cette répartition doit viser aussi toutes les régions du Québec, les régions-ressources en particulier qui connaissent présentement, on le sait, quelques difficultés.

Cinquièmement, la culture, sous toutes ses formes, est au cœur du projet collectif du Québec en raison non seulement de sa spécificité linguistique, mais aussi de l'originalité qui, plus généralement, en découle. Le Québec doit continuer à faire de la culture un élément majeur de qualité de vie et d'augmentation des chances de bonheur des personnes qui y vivent. La dimension éducative est évidemment centrale quant au développement des personnes et de l'égalité des chances de réussir leur vie.

Sixièmement, le Québec est ouvert sur le monde et favorise la libre circulation, entre les nations, des biens, des services, des capitaux et des personnes. Ces libertés doivent cependant être balisées et régulées par des institutions démocratiques supranationales fortes, de manière à éviter les conséquences sociales, culturelles et environnementales néfastes d'une dérive anarchique de la mondialisation. Le Québec se doit aussi d'être exemplaire dans son soutien actif aux pays les moins avancés.

Voilà les six balises qui vont guider mon action, qui vont guider notre action. La mise en pratique de ces grands principes implique quelques conclusions immédiates.

D'abord, jamais plus il ne faut tolérer ici ou ailleurs que l'on assimile le projet québécois qui est totalement inclusif à quelque dessein ethnique réducteur. Je dis, en passant, que ce que je viens d'affirmer ici avec force, et que vous venez d'applaudir, a été dit à maintes reprises par René Lévesque. Ce n'est pas une nouvelle doctrine pour le Parti Québécois : ce fut toujours notre doctrine. Mais il est des adversaires – et on n'a pas d'ennemis en politique, on a des adversaires –, des adversaires pernicieux qui se sont servis de cette arme vicieuse pour contrer le destin national ouvert du Québec. Il faut à partir de maintenant que nous relevions systématiquement tout genre d'attaque fausse concernant ce sujet. Notre Québec est une des terres les plus ouvertes du monde. D'ailleurs, je rappelle que, parmi les membres fondateurs de notre parti, il y avait quand même Mme Nadia Assimopoulos, M. Henry Milner et M. Paul Unterberg. Et je signale que le premier Québécois d'origine haï-tienne, et le premier Noir à entrer dans une Assemblée élue au Canada, s'appelait Jean Alfred, élu de notre parti.

Now a few words to our English-speaking Quebec compatriots to stress upon two major facts. Just like I did say in French your rights as a national minority in Quebec are sacred, part of the Quebec soul and will be respected forever. Your historical presence is a net plus for Quebec. It helps us to stay connected with the continental mainstream, and the best of the English-speaking world of knowledge, science, and technology. The role and the influence of McGill University is a typification of that.

Two other important points I want to mention is that the Que-bec nation, it is perfectly clear now, is a political and civic nation, not an ethnic one. The reality consolidated itself through a long historical process leading from the notion of French Canadian to that of Quebecer, from French Canadian to Quebecer.

Mon grand-père d'ailleurs, Eugène Brien, cultivateur à Saint-Jacques-de-Montcalm, a changé de vocable plusieurs fois dans sa vie. Il a commencé par « Canayen ». C'était un « Canayen », pis les autres c'étaient des « Anglais ». Ça ne les choquait pas d'ailleurs, parce que c'était ça qu'ils étaient, puis ils en étaient fiers, des deux côtés. Après ça, ça s'est développé tranquille-ment, ça n'avait plus de bon sens qu'une famille qui était implantée à Toronto depuis deux siècles soit appelée « *English* ». Alors là, ils ont introduit le trait d'union, alors il s'est appelé un « Canayen » ou un « Canadien-français ». Mais le bon sens historique a triomphé, il est mort Québécois. C'est ça l'évolution, c'est ça l'évolution…

So, for obvious reasons we were not all French Canadians, it's evident, as obviously now that we are all Quebecers. Nous sommes tous des Québécois, des Québécois et des Québécoises.

Quant à la souveraineté, nous avons toutes les raisons de poursuivre nos efforts en vue d'y arriver le plus vite possible et nous déploierons toutes les énergies voulues en ce sens. Il est par ailleurs abusif, injuste et réducteur de qualifier notre mouvement de séparatiste. Le séparatisme, ce serait comme si le nord de l'Ontario voulait se séparer du sud de l'Ontario. Ça, ce serait du séparatisme. Ce n'est pas ça qu'on a en tête. Il s'agit en fait de régler une question nationale de façon moderne, comme on le fait ailleurs. Notre projet est positif, n'a jamais été dirigé contre le Canada ni contre personne. Il est dirigé dans le sens de l'intérêt de notre peuple et René Lévesque, on s'en souvient, parlait déjà de souveraineté-association dès les origines de notre mouvement.

Sous l'angle économique maintenant, on sait que le Québec s'est bien débrouillé sur le plan de l'économie, mais il n'y a pas lieu de triompher ou d'être triomphaliste. Huit pour cent de chômage, même si on est partis de 14, naguère, c'est encore trop. Il n'y a rien qui détruit plus les hommes et les femmes que le fait de ne pas être capable de s'intégrer dans l'appareil de pro-

duction et de gagner sa vie. C'est une des assises les plus fondamentales du bonheur humain. Donc, l'obsession de l'emploi
que j'ai eue, que j'ai cultivée, il faut la conserver et il faut que
notre société, qui a beaucoup de talent pour ça, continue à
déployer des efforts extraordinaires. Vous savez que Montréal et
la grande région sont un des espaces économiques les plus avancés du monde en matière de haute technologie : 12e au monde,
5e en Amérique. La moitié des exportations de haute technologie du Canada – la moitié, un dollar sur deux, alors que nous
comptons pour 1 pour 4 dans l'économie – provient des entreprises du Québec. Et à cela nous allions, en plus, la qualité de la
vie. Montréal a été classée comme le 4e lieu de la planète Terre
pour la qualité de la vie et comme endroit où c'est agréable de
vivre. Nos réalisations économiques, une immense fierté, mais il
y a toujours 8 % de chômage, mais la route n'est pas complétée.
Notre niveau de vie, écoutez ça, ça m'humilie et ça me choque,
notre niveau de vie est encore de 25 % inférieur à celui de l'Ontario. Un quart ! Quand une famille ontarienne gagne 100 000 $,
on gagne 75 000 $. Depuis que la péréquation existe – vous savez
c'est quoi la péréquation ? C'est un mécanisme qui transfère à
partir d'Ottawa de l'argent aux provinces pauvres, comme ils
disent – depuis que la péréquation a été créée en 1957, le Québec en reçoit chaque année : c'est toujours une province pauvre.
Les deux mots me déplaisent. Il faut transformer une province
pauvre en un pays riche. Voilà notre programme.

Créer la richesse pour la concentrer entre les mains de
quelques-uns n'est ni fraternel ni humain. Il faut continuer à

être une société avancée dans la solidarité et trouver de nouveaux moyens pour combattre l'exclusion et la pauvreté qui,
hélas, sévissent toujours.

Côté culture, nos succès, parfois éclatants, ne doivent pas
nous faire oublier que la culture et l'éducation sont de puissants instruments de développement humain et doivent rejoindre toutes les couches de la population. Notre culture doit
continuer de rayonner partout dans le monde, comme elle le
fait présentement. Vous savez que je travaille, dans mon métier,
avec toutes sortes d'indices : produit national brut, produit
national brut au coût des facteurs, produit intérieur brut – toutes sortes d'indices qui peuvent paraître un peu abstraits. Jean
Garon, qui est ici parmi nous, en avait mentionné un autre, qui
est celui du bonheur national brut ! On questionne les gens
pour voir, bon... Mais là, j'en ai découvert un autre, et je vous
raconte le truc, et c'est intéressant. Ça s'appelle l'indice
bohémien. C'est-à-dire que, par des méthodes scientifiques,
on calcule dans une société le nombre de peintres, de violonis-
tes, de chanteurs, de danseurs, de créateurs de toutes sortes, et
puis on dit : voici l'indice bohémien de telle ville. Alors évidemment à Los Angeles, c'est très élevé, bon... Mais ce qui
est fascinant, c'est que l'indice de développement des hautes
technologies du même espace est rigoureusement proportion-
nel à l'indice bohémien. Alors, mes amis, nous sommes des bo-
hémiens. Et les hautes technologies qui se passent dans la Cité
du multimédia procèdent du même enthousiasme, de la même
créativité, du même brio que ce qui se passe au Cirque du

Soleil ou ce qui se passe au Cirque Éloïse. La culture sauve, en un mot, la culture sauve. Une société matériellement riche et culturellement pauvre est une société pauvre. Par conséquent, le cœur de notre projet est là, puisque c'est le développement humain que nous recherchons d'abord et avant tout.

Déjà ouvert sur le monde, le Québec n'entend pas subir passivement la mondialisation et voir s'établir un déficit démocratique par le fait de décisions prises à des tables supranationales où il ne serait même pas présent. Ce dernier point rend la souveraineté plus urgente que jamais et justifie une grande vigilance en attendant. L'argument que je vous donne là, René Lévesque ne pouvait pas le donner. Tous les arguments de la souveraineté, Lévesque les avait. Celui-là, il est nouveau, il rend la souveraineté plus urgente. Alors là, je demande à ceux et celles qui ne sont pas encore convaincus de bien considérer ce que je vais dire, c'est vital.

Commençons par un exemple. Il y aura à Québec, en avril prochain, le Sommet des Amériques. Alors l'Équateur sera là, le Guatemala, le Costa Rica, le Honduras, les États-Unis d'Amérique, le Mexique. Dans notre Capitale nationale, le Québec ne sera pas représenté. Voyez-vous l'injustice, l'iniquité et l'absurdité de cette situation ? Québec, 15e puissance économique du monde, est l'hôte d'un Sommet des Amériques dans sa capitale et n'a pas le droit de s'asseoir à la table. Voilà une raison fondamentale maintenant de faire la souveraineté, parce qu'à ces tables, dans le cadre de la globalisation et de la mondialisation, vont se décider des choses fondamentales pour votre vie de tous les jours. Les décisions ne seront plus prises à l'Assemblée nationale du Québec ou au parlement d'Ottawa, elles vont être prises à des grandes tables supranationales où Ottawa va prétendre nous représenter. Voyez-vous la démocratie s'éloigner de nous ? Ça ne valait pas la peine de faire toutes ces batailles et toute cette Révolution tranquille pour nous donner un État national, s'il est vidé de ses pouvoirs par un mouvement incompressible qui s'appelle la mondialisation des marchés ! Alors, en pratique, voici ce que ça donne. Ça donne qu'il y a une conférence sur la culture et que la culture de Gaston Miron, de Gilles Vigneault est représentée par Sheila Copps plutôt que par Agnès Maltais. Non mais, enfin, à quiconque de sensé qui reçoit cette question : est-ce que c'est madame la ministre de la Culture du Québec qui doit représenter dans le monde la culture du Québec ou la ministre du Patrimoine d'Ottawa qui doit le faire ? Il me semble que la réponse est simple. On n'a pas besoin d'être souverainiste ou pas, c'est ça la réalité.

En économie, c'est aussi grave. Disons qu'il y a une conférence de l'OMC, l'Organisation mondiale du commerce, sur l'économie et que les deux sujets à l'ordre du jour ce sont l'automobile, d'une part, et l'aérospatiale, d'autre part. Voulez-vous que le Québec soit représenté là par Brian Tobin ou par Bernard Landry ? Je pense que c'est la même chose : poser la question, c'est y répondre. Les gens d'affaires qui réfléchissent de plus en plus à notre option, je n'en disconviens pas, doivent trouver là des arguments extraordinaires pour enfin regarder la réalité québécoise en face. On peut fonder ce que je viens de dire sur un axiome du fondateur de la grande démocratie qui est au Sud, qui s'appelle George Washington, démocratie qui est née évidemment dans un mouvement de souveraineté par rapport à l'Angleterre et à la Grande-Bretagne. Et que disait George Washington ? Il disait : « *There is no real gift between nations.* » Les nations ne se font pas de cadeaux. Il n'a pas dit : il y a de bonnes nations, il y a de méchantes nations. Il n'a pas nommé personne, parce que ce n'est pas par méchanceté, c'est par intérêt. Les nations ne se font pas de cadeaux. Or, nous sommes une nation et nos compatriotes du Canada anglais en forment une autre. Même s'ils ne sont pas méchants, pas agressifs, etc., ils vont faire que, s'il y a 50 centres de recherche dans la région de l'Outaouais, les 50 vont être du côté de l'Ontario, comme c'est la réalité présentement. Est-ce que c'est une conspiration ? Non, non, non, c'est comme ça. *There is no real gift between nations.* Les nations peuvent s'entendre, fraternellement, négocier leur intérêt. Tu prends ça, je prends ça, mais une nation ne doit jamais avoir l'imprudence de confier sa souveraineté nationale à une autre nation. Ce n'est pas agressif contre le Canada anglais ce que je dis là, parce que l'inverse est vrai aussi. Si c'était nous autres qui étaient dominants à trois contre un, dans le Canada, on leur laisserait le premier ministre régulièrement, puis le président du Conseil du Trésor, le gouverneur général s'il le faut ! Ce n'est pas là que ça se joue, vous avez bien compris.

Por ahora unas palabras en el primer idioma de las Américas para sobrelínear nuevamente que nuestra nación de Québec tiene una grande facilidad para incluir hombres y mujeres que tienen una primera patria en el sur. Hay lugar en las cabezas y los corazones para las dos. Y la tierra de Québec es grande, generosa y abierta para todos y todas que quieren ayudar a construir la nueva patria del Norte. Nuestro Québec.

Vous êtes gentils, il y a plusieurs personnes qui me disent : « Quand c'est toi qui parles espagnol, on comprend ! »

Le fait que la question nationale ne soit pas réglée entrave tous les autres cheminements de notre peuple et mine en partie nos efforts d'efficacité. Notre gouvernement national, pourvu de simples moyens provinciaux, ne peut tout simplement pas, quel que soit le parti au pouvoir, servir notre peuple comme il devrait l'être et comme il le serait s'il possédait tous les outils voulus.

A few words, now, to our friends from the rest of Canada. I address myself to our friends in Canada outside Quebec who speak English. It's a word of frankness – I will be frank and blunt – which is a sign of respect and esteem. We tell the truth to our friends and that truth is the following. You must know if you really want to understand Quebec that we are not a distinct society, we are a Nation. That's quite different. A Nation just like Scotland. Would Tony Blair in London pretend that Scotland is just the same then ? Scotland is a Nation and it is generously and realistically accepted by London and by the English. Ireland is a Nation too, that's for sure. Et je le dis en français, *I will translate for the rest of Canada also.* L'Irlande, cette année, pour la première fois dans son histoire, a dépassé, en produit national brut *per capita*, l'Angleterre. Je vous pose la question : s'ils n'avaient pas fait leur indépendance en 1921, ce jour ne serait jamais venu, n'est-ce pas ? *So, the Chief of the Official Opposition in Quebec told me a couple of times : in your policy, do like Ireland, do like Ireland... and he has some Irish roots like a great proportion, by the way, of Quebec population. I cannot do what Ireland does because I have just provincial powers. But give us the same powers* et *watch us go !*

So, on that solid basis, a recognition that we are a Nation, and using the fantastic example of modernity that European Union is in terms of cooperation between nations, we have the duty and opportunity to reframe our relations in a far more respectful, productive, efficient and friendly way.

Depuis 50 ans, tous nos premiers ministres – c'est d'ailleurs une des raisons de la difficulté du poste et des frustrations qu'il implique –, tous nos premiers ministres ont vu leurs actions réduites, entravées ou annulées en raison de cette inadéquation entre ce que l'on attend d'eux comme dirigeants nationaux et les moyens provinciaux qu'on leur concède. Le secteur de la santé mais bien d'autres en font l'illustration dramatique. Malgré notre bonne gestion qui doit continuer, notre budget reste très difficile à équilibrer, car les besoins sont à Québec et les énormes surplus à Ottawa. À croire qu'il s'agit d'une politique de strangulation du Québec. Quand Robert Bourassa a accepté les programmes à frais partagés d'Ottawa dans la santé, Ottawa payait 50 %, un dollar sur deux. Et même à ce niveau-là, Jean-Jacques Bertrand, premier ministre juste avant lui, avait refusé parce qu'il a dit : je n'ai pas d'argent pour payer le 50. Mais Bourassa, plus dynamique, plus progressiste – en tout cas au début – a dit : OK, on y va. Et ce 50 a glissé tranquillement vers 15. Et nous, on est obligés de payer tout le reste. On a les hôpitaux, les infirmières, les médecins, tous les personnels, tous les équipements, et Ottawa accumule d'énormes surplus. Est-ce que c'est de la bonne gérance ? Et de la bonne gouvernance ? C'est à se demander si, dans leur offensive pour nier l'existence de notre nation… Je ne veux pas leur prêter d'intentions, mais y a pas quelques petits finfins qui disent : ils vont choisir entre fermer leur délégation générale de Paris ou l'Hôpital Saint-Luc. Et ça c'est une situation intenable et tous les premiers ministres du Québec ont dénoncé cette situation, ont vécu cette frustration d'avoir à être les leaders d'une nation et d'avoir des moyens provinciaux. Il faut que nous donnions aux hommes et aux femmes qui nous représentent à Québec les moyens dont ils ont besoin, quel que soit le parti. Et le plus rapidement possible, le gouvernement national du Québec doit avoir des moyens nationaux, c'est-à-dire ceux que donne la souveraineté.

Le marasme constitutionnel est tel que notre Assemblée nationale se retrouve aujourd'hui avec moins de pouvoirs que du temps de Maurice Duplessis. Le Canada a même changé la Constitution malgré nous en 1982. Encore une fois, c'est le bon sens qui parle, c'est la justice élémentaire, c'est l'équité. Changer ce qui est supposé être le document sacré de l'union de deux peuples, sans le consentement de l'un d'entre eux.

Alors que Claude Ryan et René Lévesque – là ce n'était pas une question de parti – se sont levés tous les deux pour dire : non, ça ne peut pas être la base d'une alliance entre nations. C'est un rapport de domination qui s'est établi à ce moment-là. Nous n'avons jamais signé, nous ne signerons jamais. Nous signerons quand nous serons entre interlocuteurs égaux, entre deux nations dignes et qui se respectent. Il tombe sous le sens que, pour gouverner efficacement une nation, il faut des pouvoirs nationaux et, comme le gouvernement central nie notre existence nationale, il cherche inlassablement à tout concentrer dans ses mains. Qui plus est, il tente de miner par une propagande incessante, coûteuse et parfois scandaleuse, voire ridicule, les fondements mêmes de notre appartenance nationale.

Je suis allé à une chose aussi anodine qu'un tournoi de tennis l'été dernier, très intéressant d'ailleurs. J'étais assis derrière la ligne du fond et, de mon siège, je voyais 20 fois le mot Canada. Pas besoin de regarder partout, juste en face. J'ai demandé à mon voisin, fédéraliste notoire, dans quel pays tu penses qu'on est ? Il n'y a aucun pays de la Terre où tu vas, d'un même endroit anodin, voir 20 fois le nom du pays. Vous savez bien que c'est un matraquage de propagande. De mon appartement à Québec, modeste appartement, mais qui donne vers le sud et vers le nord, je vois 12 drapeaux du Canada. Dans notre Capitale nationale ! Vous l'avez vue la propagande, quand je dis qu'il y a des côtés scandaleux, vous avez vu ce qui s'est passé à quelques reprises dans certains médias, qui ont été télécommandés par de l'argent de propagande. Alors, raison de plus pour réaffirmer cette appartenance nationale. Mais en même temps, nous allons devoir continuer à gouverner, aussi bien que Lucien Bouchard, et en particulier consolider les réalisations extraordinaires que nous lui devons, tant en les raffinant, ces réalisations, qu'en les expliquant, pour que la population les apprécie davantage. Par ailleurs, tout en me consacrant avec ardeur à la meilleure gouvernance possible, avec les moyens actuels, je tenterai très énergiquement, comme tous mes prédécesseurs, de presser le pas et de régler au plus vite la question nationale. Il faut accélérer la venue du jour où le gouvernement du Québec n'aura plus qu'à se consacrer à gouverner, plutôt que de perdre temps et énergie dans les tiraillements du système actuel, comme ont dû le faire péniblement Robert Bourassa tout comme René Lévesque.

Je suis évidemment pleinement conscient des exigences de la tâche et des risques qu'elle comporte et je n'accepte pas ce défi sans en avoir mesuré l'ampleur comme la complexité. Je veux m'engager humblement, mais avec courage, sur la voie difficile et aller avec notre peuple jusqu'au bout du chemin.

Je souligne au passage que je veux, en prenant cet engagement — et je vous le dis, et j'insiste — être secondé comme jamais par les militants et militantes du parti, par les collègues députés et ministres et par les millions d'hommes et de femmes du Québec qui partagent déjà nos vues. J'ai besoin, vous le comprenez, de plus d'appuis encore que Lévesque, Parizeau et Bouchard, puisque nous avons le devoir non pas de faire avancer la cause, mais de la faire triompher. J'entends donc travailler, plus que jamais, en équipe. Travailler en équipe, car bien au-delà de ma personne, c'est un formidable effort collectif qui mènera le Québec à son destin. Je fais donc un appel pressant et du fond du cœur à l'engagement et à la mobilisation de tous et toutes. J'ai besoin de vous plus que n'importe quel autre chef auparavant. J'ai besoin de la jeunesse du Québec en particulier : il faut qu'elle nous aide à lui donner son pays pour qu'elle puisse en faire une terre exemplaire à tous égards. Je dis aux jeunes et à ceux qui le sont moins : nous sommes déjà demain.

Je veux donc, dans les semaines à venir, qu'un vaste débat s'instaure et que nous menions un grand exercice rassembleur et mobilisateur. J'irai dans toutes les régions du Québec pour discuter avec la population, en tout respect des idées de chacun, mais avec le désir ardent de faire partager notre idéal.

Notre parti sera le point d'ancrage du débat, mais il faut souhaiter qu'il s'étende à toute la société et porte notamment sur la souveraineté, la langue et la citoyenneté, la création de la richesse et sa répartition, les régions et le développement durable.

Toute ma vie, je me suis employé à expliquer et à convaincre. Je vous ai dit l'autre jour, en annonçant le début de ma période de réflexion et de consultation, que l'avancement de la souveraineté est pour beaucoup une affaire de pédagogie. On sait que la politique, c'est d'abord et avant tout l'action, mais l'action, quand elle concerne les humains, doit être accompagnée de la parole. Le métier politique comporte donc le devoir d'informer, d'expliquer et d'écouter – cela va de soi. Mon expérience comme professeur, acquise ici comme dans d'autres pays, devrait m'être de quelque secours dans les années qui viennent.

Grâce à mes prédécesseurs à la tête du Parti Québécois et grâce à d'autres grands hommes qui se nomment, par exemple, Pierre Bourgault et André D'Allemagne, à qui je rends hommage, et en raison du soutien que nous leur avons donné, des pas considérables ont été franchis. Le Québec que nous voulons est à portée de la main. De la marginalité en 1960 – les gens qui ont vécu cette période s'en souviennent, nous étions des marginaux – de la marginalité en 1960, nous sommes passés à 50 % de support en 1995, peut-être plus d'ailleurs, si on regarde tous les dessous qui ont accompagné les procédures référendaires. J'ai le goût et l'énergie d'apporter, avec l'aide des ministres et des députés, une contribution décisive aux prochaines étapes et ainsi atteindre l'objectif. Et quand je dis députés, je dis tous les députés qui représentent la souveraineté du Québec dans toutes les assemblées, qu'elles soient à l'est ou qu'elles soient à l'ouest. Donc, je salue la présence de nos camarades du Bloc Québécois, je sais qu'ils sont au coude à coude avec nous dans cette lutte essentielle. Et en plus, nos amis du Bloc n'ont pas la consolation, comme nous, de travailler dans une des plus belles villes du monde. Par conséquent, il faut être des cent, des mille et des millions à travailler dans cette direction.

C'est parce que je compte sur cet effort massif que je soumets avec confiance ma candidature aux membres du Parti

Québécois et que je les assure d'un combat incessant, mené au coude à coude avec eux, pour faire triompher nos idéaux et achever le seul dessein digne de notre patrie : qu'elle se gouverne elle-même et qu'elle façonne, avec les autres nations libres, une humanité meilleure.

~

Économiste et avocat de formation, Bernard Landry fut élu député de la circonscription de Fabre aux élections générales de 1976 et devint ministre d'État au développement économique dans le cabinet de René Lévesque. Il fut réélu en 1981 dans la circonscription de Laval-des-Rapides et occupa la fonction de ministre d'État au développement. En 1985, il quitte la députation. Il poursuit son militantisme au sein de diverses structures politiques et enseigne les sciences administratives à l'Université du Québec à Montréal jusqu'en 1994. De 1986 à 1987, il fut en outre coanimateur à l'émission de télévision d'affaires publiques *Le Monde magazine*. Réélu dans Verchères en 1994, il assume la responsabilité de divers ministères dans les gouvernements de Jacques Parizeau et de Lucien Bouchard. Le 2 mars 2001, il devient président du Parti Québécois. Il est assermenté comme premier ministre du Québec le 8 mars de la même année.

Annexe

Député(e)s élu(e)s sous la bannière du Parti Québécois

(1970-2001)

ALFRED, JEAN
Papineau (1976-1981)

ARSENEAU, MAXIME
Îles-de-la-Madeleine (1998-...)

BARBEAU, DIANE
Vanier (1994-...)

BARIL, GILLES
Rouyn-Noranda-Témiscamingue
(1981-1985)
Berthier (1994-...)

BARIL, JACQUES
Arthabaska (1976-1985)
Arthabaska (1989-...)

BEAUDOIN, LOUISE
Ministre non élue
(octobre à décembre 1985)
Chambly (1994-...)

BEAULNE, FRANÇOIS
Bertrand (1989-1994)
Marguerite-D'Youville (1994-...)

BEAUMIER, YVES
Nicolet (1981-1985)
Champlain (1994-...)

BEAUSÉJOUR, JACQUES
Iberville (1976-1985)

BÉDARD, MARC-ANDRÉ
Chicoutimi (1973-1985)

BÉDARD, STÉPHANE
Chicoutimi (1998-...)

BÉGIN, PAUL
Louis-Hébert (1994-...)

BÉLANGER, PIERRE
Anjou (1992, partielle)
Anjou (1994-1998)

BERGERON, JEAN-PAUL
Iberville (1998-...)

BERTRAND, JEAN-FRANÇOIS
Vanier (1976-1985)

BERTRAND, ROGER
Portneuf (1993, partielle)
Portneuf (1994-...)

BERTRAND, ROSAIRE
Charlevoix (1994-...)

BÉRUBÉ, YVES
Matane (1976-1985)
† le 5 décembre 1993

BIRON, RODRIGUE
Lotbinière (1980, siège
comme péquiste en novembre)
Lotbinière (1981-1985)

BISAILLON, GUY
Sainte-Marie (1976-1982)

BLACKBURN, JEANNE-L.
Chicoutimi (1985-1998)

BLAIS, YVES
Terrebonne (1981-1989)
Masson (1989-1998)
† le 22 novembre 1998

BLANCHET, MANON
Crémazie (1998-...)

BLOUIN, RENÉ
Rousseau (1981-1985)

BOISCLAIR, ANDRÉ
Gouin (1989-...)

BORDELEAU, JEAN-PAUL
Abitibi-Est (1976-1985)

BOUCHARD, LUCIEN
Jonquière (1996, partielle)
Jonquière (1998-2001)

BOUCHER, CLAUDE
Johnson (1994-...)

BOUCHER, JULES
Rivière-du-Loup (1976-1985)
† le 31 décembre 1999

BOULERICE, ANDRÉ
Sainte-Marie–Saint-Jacques
(1985-...)

BOULIANNE, MARC
Frontenac (1998-...)

BOURDON, MICHEL
Pointe-aux-Trembles (1989-1996)

BRASSARD, JACQUES
Lac-Saint-Jean (1976-...)

BRIEN, LÉVIS
Rousseau (1994-1998)

BROUILLET, RAYMOND
Chauveau (1981-...)

BURNS, ROBERT
Maisonneuve (1970-1979)

CAMPEAU, JEAN
Crémazie (1994-1998)

CARDINAL, JEAN-GUY
Prévost (1976-1979)
† le 16 mars 1979

CARON, JOCELYNE
Terrebonne (1989-...)

CARRIER-PERREAULT, DENISE
Chutes-de-la-Chaudière
(1989-...)

CHAMPAGNE, JEAN-PAUL
Mille-Îles (1981-1985)

CHARBONNEAU, JEAN-PIERRE
Verchères (1976-1989)
Borduas (1994-...)

CHAREST, SOLANGE
Rimouski (1994-...)

CHARRON, CLAUDE
Saint-Jacques (1970-1982)

CHEVRETTE, GUY
Joliette (1976-...)

CLAIR, MICHEL
Drummond (1976-1985)

CLAVEAU, CHRISTIAN
Ungava (1985-1994)

CLICHE, DAVID
Vimont (1994-...)

CÔTÉ, JACQUES
Dubuc (1998-...)

CÔTÉ, MICHEL
La Peltrie (1994-...)

COUSINEAU, CLAUDE
Bertrand (1998-...)

COUTURE, JACQUES
Saint-Henri (1976-1981)
† le 10 août 1995

CUERRIER-SAUVÉ, LOUISE
Vaudreuil-Soulanges (1976-1981)

DEAN, ROBERT
Prévost (1981-1985)

DE BELLEFEUILLE, PIERRE
Deux-Montagnes (1976-1984)

DE BELLEVAL, DENIS
Charlesbourg (1976-1982)

DESBIENS, HUBERT
Dubuc (1976-1989)

DÉSILETS, RÉMY
Maskinongé (1994-...)

DESLIÈRES, SERGE
Salaberry-Soulanges (1994-...)

DION, LÉANDRE
Saint-Hyacinthe (1994-...)

DIONNE-MARSOLAIS, RITA
Rosemont (1994-...)

Doyer, Danielle
Matapédia (1994-...)

Dufour, Francis
Jonquière (1985-1996)

Duguay, Normand
Duplessis (1997, partielle)
Duplessis (1998-...)

Duhaime, Yves
Saint-Maurice (1976-1985)

Dupré, Maurice
Saint-Hyacinthe (1981-1985)

Dupuis, Luce
Verchères (1989-1994)

Dussault, Rolland
Châteauguay (1976-1985)

Facal, Joseph
Fabre (1994-...)

Fallu, Élie
Terrebonne (1976-1981)
Groulx (1981-1985)

Fillion, Claude
Taillon (1985-1989)

Fillion, Jean
Montmorency (1991, partielle)
Montmorency (1994-1995)

Fréchette, Raynald
Sherbrooke (1981-1985)

Gagnon, Gabriel-Yvan
Saguenay (1994-2001)

Gagnon, Marcel
Champlain (1976-1985)

Garon, Jean
Lévis (1976-1998)

Gaulin, André
Taschereau (1994-1998)

Gauthier, Michel
Roberval (1981-1988)

Gendron, François
Abitibi-Ouest (1976-...)

Geoffrion, Serge
La Prairie (1998-...)

Godin, Gérald
Mercier (1976-1994)

Gosselin, Gérard
Sherbrooke (1976-1981)

Goupil, Linda
Lévis (1998-...)

Gravel, Raymond
Limoilou (1976-1985)
† le 18 mai 1994

GRÉGOIRE, GILLES
Frontenac (1976-1983)

GUAY, RICHARD
Taschereau (1976-1985)

HAREL, LOUISE
Maisonneuve (1981-1989)
Hochelaga-Maisonneuve
(1989-…)

HOLDEN, RICHARD
Westmount (1992-1994, siège
comme péquiste en août 1992)

JOHNSON, PIERRE MARC
Anjou (1976-1987)

JOLIVET, JEAN-PIERRE
Laviolette (1976-2001)

JORON, GUY
Gouin (1970-1973)
Mille-Îles (1976-1981)

JULIEN, GUY
Trois-Rivières (1994-…)

JUNEAU, CARMEN
Johnson (1981-1994)
† le 18 juin 1999

JUTRAS, NORMAND
Drummond (1994-…)

KIEFFER, ROBERT
Groulx (1994-…)

LABBÉ, GILLES
Masson (1998-…)

LABERGE, HENRI-É.
Jeanne-Mance (1976-1981)

LACHANCE, CLAUDE
Bellechasse (1981-1985)
Bellechasse (1994-…)

LACHAPELLE, HUGUETTE
Dorion (1981-1985)

LACOSTE, JEAN-MARC
Sainte-Anne (1976-1981)

LAFRENIÈRE, MARCEL-JIM
Ungava (1981-1985)

LANDRY, BERNARD
Fabre (1976-1981)
Laval-des-Rapides (1981-1985)
Verchères (1994-…)

LANDRY, MARCEL
Bonaventure (1994, partielle)
Bonaventure (1994-1998)

LAPLANTE, PATRICE
Bourassa (1976-1985)

LAPRISE, BENOÎT
Roberval (1994-…)

LAURIN, CAMILLE
Bourget (1970-1973)
Bourget (1976-1985)
Bourget (1994-1998)
† le 11 mars 1999

LAVIGNE, LAURENT
Beauharnois (1976-1985)

LAZURE, DENIS
Chambly (1976-1981)
Bertrand (1981-1984)
La Prairie (1989-1996)

LEBLANC, DENISE
Îles-de-la-Madeleine (1976-1984)
† le 8 février 1999

LEBLANC, JACQUES
Montmagny-L'Islet (1981-1985)
† le 8 octobre 1996

LEDUC, LYSE
Mille-Îles (1994-…)

LEDUC, MICHEL
Fabre (1981-1985)

LEFEBVRE, CHARLES-A.
Viau (1976-1981)

LEGAULT, FRANÇOIS
Ministre non élu
(septembre à décembre 1998)
Rousseau (1998-…)

LEGENDRE, RICHARD
Blainville (2001, partielle)

LÉGER, MARCEL
Lafontaine (1970-1985)
† le 5 février 1993

LÉGER, NICOLE
Pointe-aux-Trembles
(1996, partielle)
Pointe-aux-Trembles (1998-…)

LE HIR, RICHARD
Iberville (1994-1996)

LELIÈVRE, GUY
Gaspé (1994-…)

LE MAY, HENRI
Gaspé (1981-1985)

LEMIEUX, DIANE
Bourget (1998-…)

LÉONARD, JACQUES
Laurentides-Labelle (1976-1981)
Labelle (1981-1984)
Labelle (1989-2001)

LESSARD, LUCIEN
Saguenay (1970-1982)

LÉTOURNEAU, MICHEL
Ungava (1994-…)

LÉVESQUE, LÉONARD
Kamouraska-Témiscouata
(1976-1985)

LÉVESQUE, RENÉ
Taillon (1976-1985)
† le 1er novembre 1987

MALAVOY, MARIE
Sherbrooke (1994-1998)

MALTAIS, AGNÈS
Taschereau (1998-…)

MARCOUX, ALAIN
Rimouski (1976-1985)

MAROIS, PAULINE
La Peltrie (1981-1985)
Taillon (1989-…)

MAROIS, PIERRE
Laporte (1976-1981)
Marie-Victorin (1981-1983)

MARQUIS, LÉOPOLD
Matapédia (1976-1985)

MARTEL, MAURICE
Richelieu (1976-1985)

MÉNARD, SERGE
Laval-des-Rapides
(1993, partielle)
Laval-des-Rapides (1994-…)

MERCIER, JEAN-GUY
Berthier (1976-1981)

MICHAUD, GILLES
La Prairie (1976-1981)

MORIN, CLAUDE
Louis-Hébert (1976-1981)

MORIN, GÉRARD-RAYMOND
Dubuc (1989-1998)

MORIN, JACQUES-YVAN
Sauvé (1973-1984)

MORIN, MICHEL
Nicolet-Yamaska (1994-…)

O'NEILL, LOUIS
Chauveau (1976-1981)

OUELLETTE, ADRIEN
Beauce-Nord (1976-1985)

OUELLETTE-VILLENEUVE, JOCELYNE
Hull (1976-1981)

OUIMET-PAYETTE, LISE
Dorion (1976-1981)

PAGÉ, SYLVAIN
Labelle (2001, partielle)

PAILLÉ, DANIEL
Prévost (1994-1996)

PAPINEAU, LUCIE
Prévost (1997, partielle)
Prévost (1998-…)

PAQUETTE, GILBERT
Rosemont (1976-1985)

PAQUIN, ROGER
Saint-Jean (1994-…)

PARÉ, JEAN-GUY
Lotbinière (1994-…)

PARÉ, ROGER
Shefford (1981-1993)
† le 2 mars 1995

PARENT, JEAN-GUY
Ministre non élu
(octobre à décembre 1985)
Bertrand (1985-1989)

PARIZEAU, JACQUES
L'Assomption (1976-1984)
L'Assomption (1989-1996)

PAYNE, DAVID
Vachon (1981-1985)
Vachon (1994-…)

PELLETIER, ANDRÉ
Abitibi-Est (1994-…)

PERREAULT, ROBERT
Mercier (1994-2000)

PERRON, DENIS
Duplessis (1976-1997)
† le 23 avril 1997

PINARD, CLAUDE
Saint-Maurice (1994-…)

PROULX, JÉRÔME
Saint-Jean (1976-1985)

RANCOURT, RÉAL
Saint-François (1976-1985)

RICHARD, CLÉMENT
Montmorency (1976-1985)

RIOUX, MATTHIAS
Matane (1994-…)

RIVARD, MICHEL
Limoilou (1994-1998)

ROBERT, HÉLÈNE
Deux-Montagnes (1994-…)

ROCHEFORT, JACQUES
Gouin (1981-1987)

ROCHON, JEAN
Charlesbourg (1994-…)

RODRIGUE, JEAN-GUY
Vimont (1981-1985)

SAINT-ANDRÉ, JEAN-CLAUDE
L'Assomption (1996, partielle)
L'Assomption (1998-…)

SIGNORI, CÉLINE
Blainville (1994-2001)

SIMARD, JEAN-FRANÇOIS
Montmorency (1998-…)

SIMARD, MONIQUE
La Prairie (1996, partielle)

SIMARD, SYLVAIN
Richelieu (1994-...)

TARDIF, GUY
Crémazie (1976-1985)

TREMBLAY, CHARLES
Sainte-Marie (1970-1973)
† le 31 mars 1982

TREMBLAY, LUC
Chambly (1981-1985)

TREMBLAY, RODRIGUE
Gouin (1976-1979)

TRUDEL, RÉMY
Rouyn-Noranda –
Témiscamingue (1989-...)

VAILLANCOURT, CLAUDE
Jonquière (1976-1983)

VAUGEOIS, DENIS
Trois-Rivières (1976-1985)

VERMETTE, CÉCILE
Marie-Victorin (1985-...)

Source : Centre de documentation du Parti Québécois.

Table

*Cet ouvrage composé en Fairfield Light corps 14 sur 16
a été achevé d'imprimer le premier novembre deux mille un
sur les presses de Transcontinental
Division Imprimerie Gagné
à Louiseville
pour le compte de
VLB éditeur.*

Imprimé au Québec (Canada)